24.95

P9-DFG-524

12/14

DISCARDED

VA CHERCHER

Du même auteur

« Rares sont les hommes », dans *Crimes à la librairie*, collectif de nouvelles, Éditions Druide, 2014.
Je compte les morts, Expression noire, Libre Expression, 2009.
La vie comme avec toi, Expression noire, Libre Expression, 2012.
Dis oui, Expression rouge, 2013.

Geneviève Lefebvre

Va chercher

L'insolite
destin
de
Julia Verdi

BIBLIOTHÈQUE PUBLIQUE
DU CANTON
D'ALFRED ET PLANTAGENET
WENDOVER

Libre Expression

Une société de Québecor Média

R
Lefebvre

Catalogage avant publication de Bibliothèque et Archives nationales du Québec et Bibliothèque et Archives Canada

Lefebvre, Geneviève, 1962-
        Va chercher : l'insolite destin de Julia Verdi
        ISBN 978-2-7648-1060-6
        I. Titre.

PS8573.E379V3 2014   C843'.54   C2014-941984-8
PS9573.E379V3 2014

Direction littéraire : Monique H. Messier
Révision linguistique : Sylvie Dupont
Correction d'épreuves : Marie Pigeon Labrecque
Couverture : Chantal Boyer
Mise en pages : Annie Courtemanche
Photo de l'auteure : Sarah Scott

Cet ouvrage est une œuvre de fiction ; toute ressemblance avec des personnes ou des faits réels n'est que pure coïncidence.

Remerciements
Nous reconnaissons l'aide financière du gouvernement du Canada par l'entremise du Fonds du livre du Canada pour nos activités d'édition.
Nous remercions le Conseil des Arts du Canada et la Société de développement des entreprises culturelles du Québec (SODEC) du soutien accordé à notre programme de publication.
Gouvernement du Québec – Programme de crédit d'impôt pour l'édition de livres – gestion SODEC.

Tous droits de traduction et d'adaptation réservés ; toute reproduction d'un extrait quelconque de ce livre par quelque procédé que ce soit, et notamment par photocopie ou microfilm, est strictement interdite sans l'autorisation écrite de l'éditeur.

© Les Éditions Libre Expression, 2014

Les Éditions Libre Expression
Groupe Librex inc.
Une société de Québecor Média
La Tourelle
1055, boul. René-Lévesque Est
Bureau 300
Montréal (Québec) H2L 4S5
Tél. : 514 849-5259
Téléc. : 514 849-1388
www.edlibreexpression.com

Dépôt légal – Bibliothèque et Archives nationales du Québec et Bibliothèque et Archives Canada, 2014

ISBN : 978-2-7648-1060-6

Distribution au Canada
Messageries ADP inc.
2315, rue de la Province
Longueuil (Québec) J4G 1G4
Tél. : 450 640-1234
Sans frais : 1 800 771-3022
www.messageries-adp.com

Diffusion hors Canada
Interforum
Immeuble Paryseine
3, allée de la Seine
F-94854 Ivry-sur-Seine Cedex
Tél. : 33 (0)1 49 59 10 10
www.interforum.fr

À Julien…

« Partout où il y a un malheureux,
Dieu envoie un chien. »
Alphonse de Lamartine, poète

PROLOGUE

C'est un revirement du destin, aussi ironique que cruel, qui valut à Julia Verdi de perdre l'homme de sa vie au moment précis où elle venait enfin d'ouvrir les yeux sur un constat terrible : alors qu'elle avait réussi le tour de force de bousiller toutes les occasions d'être heureuse, la vie lui offrait une autre chance.

Cette chance s'appelait David Trueblood.

Malgré son nom de pur-sang, David venait d'une lignée tout à fait ordinaire. L'une de ces familles supérieures en nombre où le chaos régulier du quotidien prenait volontiers le dessus sur les encouragements qu'il aurait fallu prodiguer aux enfants pour rehausser leur estime de soi.

Quand, par inadvertance, David rapportait un bon bulletin ou une seconde place à une compétition d'athlétisme, l'éclat de ces petites victoires se perdait dans la turbulence impériale qui régnait chez les Trueblood. Était-ce le résultat de tant d'insouciantes négligences ? La vie de David, éternel fils du milieu, n'avait jamais été extraordinaire.

Mais son cœur l'était.

Julia n'avait pas revu David depuis qu'ils s'étaient embrassés derrière le terrain de football le soir de leur bal de graduation. Elle, déjà pressée d'aller en retrouver un autre ; lui, tout empêtré de ce cœur extraordinaire dont il ne savait plus que faire puisqu'elle le quittait.

Ils avaient dix-sept ans.

Après leur rupture, la vie n'avait plus jamais été la même.

David Trueblood s'était d'abord effondré comme si tous ses globules rouges l'avaient abandonné en même temps que Julia, le laissant pâle et sans force aucune. N'ayant nulle part où aller et pas un sou à consacrer à l'évasion, il s'était contenté de faire du surplace, dormant beaucoup, lisant encore plus. Puis, il s'était remis à manger, à marcher, à courir. Avec patience et détermination, il s'était employé à faire fructifier chaque pulsation de ce muscle hors norme qui habitait sa frêle poitrine de jeune homme. Manches relevées et sueur au front, il avait réussi un exploit peu commun de nos jours : il était devenu un homme.

Julia avait d'abord déployé ses ailes dans un grand froufrou chatoyant, illuminant chacun de ses gestes d'une vitalité qui la rendait irrésistible. Elle avait obtenu ses diplômes universitaires avec brio, collectionné des fêtes constellées de jeunes gens entreprenants, pris l'avion « pour aller à la rencontre d'elle-même » dans des contrées lointaines et charismatiques et en était revenue dans le même état : incapable de voir d'autres vies que la sienne. Tous ces moments épiques et grandioses étaient devenus autant de boucliers qui avaient isolé Julia de tout et ne l'avaient protégée de rien. Elle avait perdu un temps fou, des chapitres entiers de sa vie, à analyser les mille et une significations cryptiques du comportement masculin, tapé du pied dans l'espoir de voir le bruit triompher sur la musique et essuyé des revers de plus en plus douloureux. Ces lendemains déchantaient si fort qu'elle était au bureau dès l'aube, propulsant sa carrière à coups d'histoires d'amour pitoyables.

Tout cet éclat dont elle s'entourait pour détourner son attention de la peur, de cette terreur qu'elle n'avait pas le courage d'affronter, se retournait contre elle en mille fragments acérés.

Le miroir s'était brisé, et Julia était toujours une petite fille effrayée qui refusait de grandir. Il était donc dans le désordre des choses que ce soit un revirement du destin, aussi ardu qu'extraordinaire, qui lui vaille de trouver ce qu'elle avait cherché toute sa vie au moment précis où elle était convaincue d'avoir tout perdu...

JEU DE CARTES

Cette histoire commence avec un rejet. Pour être franche, cette histoire est ponctuée de rejets. Celui que j'avais infligé dans la cruelle insouciance de mes dix-sept ans à un garçon qui n'en méritait pas tant, et celui qui allait me renverser comme une grosse boule déterminée à abattre toutes les quilles d'un seul et sale coup.

Bang.

Rejetée. Abandonnée. Disqualifiée. Une claque qu'on se prend par la tête et qui vous laisse rouge d'humiliation. Tout est là, dans cette impulsion brutale comme le tir d'un lance-pierres.

J'avais été la pierre. Celle qui, me semblait-il au moment où c'est arrivé, ne valait qu'une chose : qu'on tire sur l'élastique jusqu'à son point de rupture pour être certain de l'envoyer le plus loin possible.

Nous sortions d'un restaurant marocain où une tireuse de tarot ondulant entre les tables offrait ses talents divinatoires aux clients en mal de certitudes.

Francis avait tiré la carte des amoureux. Moi, celle de la gloire et de la fortune.

J'y avais vu un signe. Un heureux présage. Celui de notre avenir ensemble. Sa carte bien au chaud contre la mienne, nous serions amoureux, glorieux et fortunés, tous les désastres précédents oubliés.

Je faisais fi de ses enfants, que je faisais semblant d'aimer ; de ceux, pas encore nés, que je prétendais vouloir ; des irritants désirs de Francis, qui ne s'accordaient pas aux miens ; et de ma façon obsessive de vouloir être la seule à raconter l'histoire, notre histoire, pour être certaine de la raconter avec une telle perfection qu'il n'aurait pas d'autre choix que de m'aimer.

Francis n'a pas voulu de mon histoire.

Sur le trottoir, il m'a lancé un regard plein de compassion avant de m'annoncer qu'il ne nous voyait pas ensemble, ni dans la carte des amoureux, ni dans la vie, et qu'il me souhaitait la meilleure des chances avec ma gloire et ma fortune.

J'ai mis plusieurs minutes à comprendre qu'il me quittait, et cette nouvelle stupéfiante m'a crucifiée sur place. J'étais belle, encore jeune, en tout cas plus jeune que lui, intelligente et promise à un brillant avenir. Comment pouvait-il ne pas vouloir de cet avenir radieux qui nous était destiné ? Comme une enfant, j'ai pleuré à chaudes larmes, le fleuve de ma disgrâce emportant mascara, morve et dignité dans ses flots.

À travers le Niagara sur mes joues, je sentais sa mortification devant les regards horrifiés des passants et je savourais le goût salé de la vengeance sur mes lèvres. Il me quittait ? Très bien, alors qu'il en porte l'odieux sur la place publique.

Il allait me prendre dans ses bras, d'un instant à l'autre, il était *obligé* de le faire, non ? Seul un monstre laisse une fille mourir de désespoir dans la rue.

Il ne m'a pas prise dans ses bras.

Il m'a seulement dit un truc que j'allais mettre des mois à comprendre : «Tu vois, c'est parce que tu ne me donnes pas le choix, parce que tu me forces à être un monstre que je ne pourrai jamais être amoureux de toi.»

Et il est parti, me laissant seule sur le trottoir avec ma carte de tarot, abandonnée comme un chien, sonnée de me sentir accusée alors que c'était *lui* le monstre.

Sauf que c'était moi.

Narcissique, *junkie* de la moindre marque d'attention, prête à délaisser amis et projets pour suivre le premier venu, contorsionniste capable de tous les sauts périlleux pour prouver à l'homme devant moi – qui n'en demandait jamais autant – que j'étais une femme exceptionnelle, rien de moins.

Je n'étais pas séduisante, j'étais épuisante.

J'ouvrais les jambes, le portefeuille et les oreilles, mais je ne savais donner que pour mieux réclamer mon dû. Mon rapport aux hommes n'était pas un rapport d'amour, mais de comptes à payer où l'autre était mon obligé.

Inutile de dire que ces comptes étaient en souffrance et que plus je m'efforçais d'être «merveilleuse», moins j'arrivais à me faire payer. Persuadée de ne rencontrer que de mauvais payeurs, obsédée par ce qu'on me *devait* – l'amour, l'attention, le dévouement, les fleurs, les voyages et le café au lit –, j'en oubliais une chose essentielle : aimer.

J'en étais incapable.

Pas une seconde il ne me serait venu à l'idée de me questionner sur ce que j'avais de *si bien* à offrir pour mériter qu'on se dévoue à ma cause. Pas une seconde je ne pensais à soulever le couvercle de mon panier pour m'assurer qu'il contenait ce qui ferait plaisir à l'autre au pique-nique de l'amour. J'avais lu tous les livres de psycho-pop où l'on m'avait répété, jusqu'à l'encrer au plus intime de ma psyché, que je *méritais* le meilleur. Je n'avais qu'à me présenter dans ma plus jolie robe et à prendre l'amour qui m'était dû comme on ramasse un gigot chez le boucher, bien emballé, prêt à être moutardé et enfourné. Et si ce meilleur m'échappait encore, tel un jeune saumon fringant qui vous glisse entre les mains dans une rivière au printemps, c'est que je n'avais pas rencontré «le bon», celui qui serait à la hauteur de la fille «merveilleuse» que j'étais. Je n'avais qu'à «être moi-même», à poser les pieds sur la table, et il sonnerait à ma porte au moment où je m'y attendrais le moins, comme on se fait livrer une pizza. «Ding, dong. Je suis le meilleur, à votre service.»

Il ne restait qu'à tendre un pourboire et à manger, à même la boîte de carton. C'était une question d'estime de soi, de respect pour sa propre personne : il fallait se tenir debout et croire en ses rêves. Si l'autre passait son chemin, il ne nous méritait pas, moi et ma grandiose personnalité. C'était *lui*, le plus grand perdant de l'affaire. Un *loser* de première catégorie, aveugle aux merveilles de ma merveilleuse personne. Et je n'avais pas besoin d'un *loser* dans ma vie, right?

Vous riez? Vous faites bien. C'est toujours risible, un monstre. C'est d'ailleurs la seule façon de lui couper la tête. En rire.

Si j'étais prête à faire cet examen de conscience au moment où Francis m'a larguée comme une malpropre ? Bien sûr que non. Je n'avais pas assez souffert encore. Ça viendrait, plus tard, pas maintenant.

Chaque chose en son temps.

En attendant, c'est lui que j'ai accusé. Je l'ai traité de tous les noms. Je lui ai trouvé des failles psychologiques profondes qui justifiaient son incapacité à s'engager avec qui que ce soit. Il serait toujours malheureux, égoïste, trop faible pour aimer une femme qui est pleinement son égale.

Trois semaines après notre rupture, balayant toutes les excuses qu'il m'avait données pour éviter de s'engager avec moi pendant notre relation, il tombait amoureux d'une astronaute aux jambes de danseuse qui avait trois enfants et prenait sa retraite de l'espace pour se consacrer à l'horticulture. Deux mois plus tard, entourés de leurs enfants respectifs, ils s'épousaient à la Martinique, les photos de leur grande smala engluée de bonheur azur et de confiture de fraises fluorescente étalées avec obscénité sur la page Facebook de Francis. Page que je consultais compulsivement, en quête de circonstances aggravantes dans le crime qu'il avait commis à mon endroit : ne pas m'aimer.

J'étais juge à un procès que je répétais plusieurs fois par jour pour arriver sans cesse au même résultat : coupable, coupable, il était mille fois coupable, un bandit du cœur, un hors-la-loi, un criminel en fuite dont j'étais l'innocente victime.

Le jour où j'ai vu les photos de son mariage, il m'a pourtant bien fallu me rendre à l'évidence : le beau

Francis n'avait aucun problème avec l'engagement. Il n'avait aucun problème avec les filles brillantes. Et son égoïsme semblait assez poreux pour y laisser entrer trois enfants qui n'étaient pas les siens. À temps plein.

C'était *de moi* qu'il n'avait pas voulu.

Et l'année qui suivrait me prouverait hors de tout doute qu'il avait eu raison.

Bois et papiers

J'arrive de Chine. De la province de Guangdong, je n'ai vu que ma chambre d'hôtel, le smog de Guangzhou et des salles de réunion semblables à toutes celles de nos usines de Vancouver, de Montréal et de la Caroline du Sud. J'ai mené mes rendez-vous d'affaires tambour battant. Le fossé culturel, les interprètes, les silences qu'il faut savoir décoder. La reine des défis impossibles, c'est moi. Je travaille bien, je le sais, et mon professionnalisme m'est d'un grand réconfort en ces temps difficiles. La pulpe et le papier du bois de nos arbres ont l'avenir radieux que seul un marché d'un milliard de consommateurs peut promettre. Je ne compte pas mes heures : j'ai confiance en mes compétences, mais aussi en la diversion que me procurent mes nombreuses responsabilités. Qu'on se le dise, vice-présidente au développement des affaires, ce n'est pas qu'un titre, c'est une échappatoire parfaite à l'humiliation amoureuse.

À peine le temps d'apercevoir les reflets anthracite de la rivière des Perles par la fenêtre du taxi ; impression fugace d'un serpent d'argent qui ondule jusqu'aux flots pollués de la mer de Chine. On me dit que j'ai mangé la plus fine gastronomie qui soit. Parfums délicats de poivre blanc, d'anis étoilé et de gingembre, sauces aux prunes, ciboule et vin de riz. Ni mes papilles ni mon odorat ne s'en souviennent, saturés qu'ils sont par l'odeur de l'échec cuisant de ma relation avec Francis.

De Chine, je n'ai rapporté qu'une minuscule lanterne de papier, achetée en vitesse dans le hall de mon hôtel le matin du départ. Rouge, transparente et fragile. Aux yeux de tous, je suis une battante. Au creux de ma poitrine, je suis cette orpheline de papier fin.

Vingt-quatre heures de voyage pour passer de l'Orient à l'Occident. Un millénaire. Et une fatigue lourde que j'attribue – comme c'est commode – au décalage. Combien de fois dans une vie peut-on fermer les yeux plutôt que d'ouvrir la lumière ? Je ne veux pas le savoir, et je confirme que toujours, devant la difficile tâche d'affronter mes failles et faiblesses, j'aurai la tentation de me réfugier dans le noir. Ou au fond de mon sac à main, cet univers foisonnant qui échappe à mon besoin d'ordre compulsif, une sorte de chambre d'adolescente rebelle où je ne trouve jamais rien du premier coup. La vie est un sac de fille, bordélique et exaspérant. Où sont mes clés ? Je fouille en prenant mon temps, retardant le retour à la réalité de mon quotidien.

Mon appartement est si parfait, si silencieux dans ce clair-obscur de fin de journée que pendant quelques secondes je suis de nouveau dans une chambre d'hôtel.

Puis, à cause de l'incompétence d'un promoteur qui a lésiné sur la qualité de l'insonorisation, les pleurs du bébé d'à côté traversent les murs. Je suis chez moi.

Zut.

Le volume des pleurs augmente, lancinant. Voilà un petit être qui doit sa venue au monde à une chance inouïe. Le géniteur, mon voisin de droite, est un jeune comptable ténébreux, et jusqu'à l'an dernier, il cultivait sa réputation de play-boy réfractaire à tout engagement. Son cas était si désespéré que j'ai même entretenu quelques fantasmes à son endroit. Assez pour oser lui faire des avances. Qu'il a fait mine d'ignorer, me la jouant «Je suis myope, je ne vois rien, donc je n'ai pas à gérer tes attentes irréalistes de fille amère». La grande classe, quoi.

Qu'il devienne père, *a fortiori* aux côtés d'une fille ordinaire qui ne ressemble en rien aux bimbos qu'il avait l'habitude de ramener et de jeter au petit matin, ne devait pas arriver. Dans la logique des probabilités sur lesquelles de brillants actuaires planchent pendant des mois, les chances qu'il soit illuminé des vertus de l'amour altruiste étaient nulles. Les chances qu'une fille décente, visiblement saine d'esprit et bien dans ses baskets tombe amoureuse d'un *serial seducer* comme lui étaient tout aussi nulles.

Pourtant, c'est arrivé.

Et leur rejeton, minuscule bombe atomique, se prend pour Pavarotti. Je n'ai rien contre les vocations musicales précoces. Mais on m'avait promis une insonorisation à l'épreuve des balles ainsi qu'un environnement de jeunes professionnels ambitieux et dynamiques dont la seule activité bruyante serait le «poc, poc, poc» gracieux des balles de tennis sur le court voisin.

Raté. Je songe au recours collectif. Toute seule.

Coincée dans l'immense miroir qui m'accueille, la carte de tarot rouge et or, dernier vestige de mes amours avec Francis, me nargue…

J'évite le reflet du visage de cette femme qui ne valait pas la peine qu'on la prenne dans ses bras au moment de l'abandonner : Julia Verdi, trente-sept ans, le cerveau dûment diplômé d'un MBA qui lui a permis de papillonner de job prestigieux en job encore plus prestigieux, de posséder un appartement aux lignes épurées et une poitrine juste assez augmentée pour lui valoir des regards flatteurs, mais jamais déplacés.

Le parfum délicat d'un bouquet de roses m'annonce que mon voisin Rosario est passé. Sur la table d'ébène, une constellation de fleurs en pleine éclosion, comme si elles avaient attendu mon retour pour s'épanouir.

Rosario est tout ce que je ne suis pas : Brésilien, magnifique et doué pour la vie. Je crois qu'il a un peu pitié de moi parce que, malgré tous ses efforts pour m'enseigner à bouger avec grâce, je ne sais toujours pas danser, sinon comme un hippopotame ivre.

Je sais aussi qu'il a mis du lait au frigo, du crémeux comme je l'aime, qu'il a rempli le moulin à café de grains lustrés d'arabica et que je n'ai qu'à appuyer sur le bouton de la Breville.

J'ai fait la gaffe de lui demander pourquoi il était si gentil avec moi. Il a eu l'air surpris : « Parce que tu en as besoin. »

Je me suis mise à pleurer, honteuse d'être ainsi mise à nu par un homme qui ne me verrait jamais nue.

Rosario est une mère pour moi. Mais contre les amours malheureuses, même la meilleure des mères est impuissante.

Je dépose mon lourd bagage, les épaules et le cœur meurtris. Ce soir, la solitude de mon appartement ne m'offre que la perspective d'un tête-à-tête affolant avec une fille aux yeux tristes que des hommes ont bien voulue dans leur lit, mais pas dans leur vie. Ils se sont allongés dans mon confortable divan de cuir ocre, ils ont bu des litres de pomerol dans mes verres à longues jambes, ils se sont même abandonnés dans mes bras.

Ils ne sont pas restés.

Je suis une île, certes belle, sur laquelle ils accostent distraitement, le temps de boire mon vin avant de reprendre la mer, toutes voiles dehors.

Je refuse d'en chercher la cause. Ce serait trop simple, et j'ai trop mal. Alors, comme une aveugle qui refuse d'apprendre le braille dans l'espoir que la vue lui revienne, je m'entête. J'accuse la société, mon boulot prestigieux et forcément castrant pour un homme, mon âge, mes diplômes, mon eczéma qui fait un retour en force, la grosseur de mes fesses et Francis. J'accuse Francis avec férocité.

C'est sa faute, uniquement sa faute.

Il m'a même volé la carte de l'amour, qui aurait *dû* m'être attribuée à moi plutôt qu'à lui, qui n'avait pas fait *un seul effort* pour la mériter. Alors que moi, je ne cesse d'en faire, jusqu'à l'épuisement. Il faut que la voyante marocaine se soit trompée dans l'attribution des cartes, il faut que l'amour soit au bout du chemin, sinon…

Julia, ô Julia, ne vois-tu rien venir à l'horizon ? Je fronce les sourcils, je ferme les yeux, et…

Vous voyez quelque chose, vous, quand vous levez les yeux pour fixer l'horizon ?

Moi, rien. Je ne vois rien venir. Ma ligne d'horizon est déserte comme le cul d'une poule en juillet. Non que j'aie vu le cul d'une poule en juillet, mais je l'imagine désert, déplumé et vulnérable. Le grand vide.

Je n'ai jamais eu d'imagination. En tout cas, pas de ces imaginations évadées des murs de la conformité qui font dire aux autres que vous avez «un univers». Je suis, malgré certains progrès, une fille de terrain connu. J'ai misé sur un avenir sûr, la finance et les affaires, au sein d'une grande entreprise qui n'est pas la mienne et où je ne risque rien. L'humanité aura toujours besoin d'avoir un bout de papier sous la main. On dira ce qu'on voudra sur la supériorité de la technologie, rien ne remplace le papier quand vient le temps de mettre une couche à un bébé, d'envelopper une boîte de rouge pour Noël ou de rayer au Bic bleu la feuille des corvées accomplies.

Et, à ce que je sache, personne n'a jamais mouché un chagrin d'amour avec l'écran de son téléphone.

Les pâtes et papiers, donc. Comme je ne possède pas une once de cet esprit d'aventure qui pousse à bâtir des empires et à conquérir le cœur des reines, ça me convient très bien.

En amour, c'est pareil. Je ne prends pas de risque: je ne choisis que des garçons qui ont «du potentiel». En théorie, ils ont tout ce qu'il faut: des diplômes, de l'ambition, une belle gueule et juste assez de désir pour me convaincre que cette fois ça vaut la peine.

Ils me déçoivent à tout coup, s'enfuyant à toutes jambes devant le beau piédestal auquel ils pourraient accéder si seulement ils voulaient bien m'écouter. Ils sont sourds, les tympans sans doute déchirés par toutes les folles qui sont passées avant moi. Des saboteurs de bonheur, voilà ce qu'ils sont, me répète la voix dans ma tête.

La voix. Douce, ferme, apaisante. Elle a des intonations de miel et d'épices, et elle insiste pour me dire que je suis une fille merveilleuse, qui mérite le meilleur et qui jamais ne doit faire de compromis sur ses désirs. Il m'arrive de penser que c'est Oprah qui laisse des messages à mon inconscient, qu'en cas de faiblesse passagère je n'ai qu'à appuyer sur le bouton pour les réécouter à volonté jusqu'à ce que ma détermination soit de nouveau sans faille.

Si j'avais su à quel point cette voix était ma pire ennemie, je serais allée acheter un fusil et je l'aurais tirée entre les deux yeux. Sans remords.

Mais je ne savais pas. Pas encore.

Parce que autour de moi existe cette entente tacite qui veut, au nom de la solidarité féminine, que la fille rejetée soit forcément celle qui a raison et que celui qui ne veut pas d'elle soit obligatoirement l'imbécile qui « passe à côté » du trésor.

Je protège donc mon trésor, et je me réconforte en me disant qu'au moins je ne me résigne pas comme mon amie Élisabeth, qui a fini par épouser son insignifiant dont elle n'est même pas amoureuse tant elle voulait un enfant. Je me répète que je vaux mieux que ça, mieux que « même pas amoureuse », et qu'à tout prendre je préfère les passions grandioses aux mornes tiédeurs conjugales.

Mon discours est tellement au point que j'y crois avec une belle conviction.

Enfin, d'habitude j'y crois.

Sauf qu'il y a eu Francis... et ce coin de rue où il m'a abandonnée. Et les griffes des sorcières nommées Vieillesse et Solitude qui me broient le ventre pendant que je fais semblant de ne pas avoir peur. Du coup, ma conviction est ébranlée.

Je regarde la fissure s'agrandir dans le ciment qui protège mon environnement des radiations mortelles s'échappant du réacteur nucléaire, et toutes les alarmes s'énervent en même temps.

Tu n'es pas vieille, proteste la voix dans ma tête. Trente-sept ans, c'est le nouveau vingt-sept. Peut-être même le nouveau vingt-cinq.

Tous ces mensonges dans lesquels je me terre comme un petit soldat dans sa tranchée quand il se fait tirer dessus. Si j'osais lever les yeux vers le ciel, je serais obligée de constater que le ciel est bleu, que je ne suis pas assiégée, et que la bombe que je redoute le plus est celle d'une seule terroriste, la pire qui soit, moi.

Je n'ose pas.

Cette inconnue dont je vous parle, c'est moi, c'est vous, c'est tout le monde. Au moment où il nous faudrait faire la lumière sur notre vie afin de la regarder dans le blanc des yeux, nous fermons les rideaux.

Pourquoi?

Mise à nu

Dans la salle de bain au sol de marbre, je quitte mes vêtements poussiéreux, la saleté moite du voyage, la suspicion des agents qui protègent le territoire canadien des envahisseurs.

« D'où venez-vous ? m'avait demandé une douanière rigide aux cheveux méchés de jaune.

— Chine.

— Raison du voyage ?

— Affaires. »

Elle m'avait lancé un regard qui ne laissait aucun doute : elle n'éprouvait que du mépris pour cette femme qui préférait faire des affaires plutôt que des enfants. Comme celui qui a repris du service dans l'appartement d'à côté. De si petits poumons pour de si grands décibels.

Je les aime, mes « affaires ». Je m'y consacre avec tout le dévouement qu'elles exigent et j'en tire une fierté que je n'ai trouvée nulle part ailleurs dans ma vie. Pourtant, aux yeux des autres, il semble n'y avoir qu'un enfant pour mériter une médaille d'or sur le podium du grand idéal. Si on n'a pas d'enfant, c'est qu'on n'a pas su mettre ses priorités « à la bonne place ».

Comment savoir si on est « à la bonne place » ? Quels sont les signes ? Est-ce que quelqu'un lève un drapeau blanc et or pour signifier qu'on est arrivé et qu'on peut enfin cesser de chercher ?

J'ai longtemps dit que je voulais des enfants. C'est ce qu'on attendait de moi, du moins, c'est l'impression que j'avais. Que j'ai encore. Seule devant le miroir, à l'âge où mon horloge biologique devrait salement se venger des innombrables *snooze* que je lui ai infligés, je n'entends rien.

Rien, sauf le vibrato déchirant du bébé d'à côté. Celui qui s'est juré d'avoir raison de ma raison. Il faut que ses parents cèdent à l'appel de la banlieue, je ne survivrai pas à cette évocation constante de tout ce qui me file entre les doigts.

Je n'ai pas rencontré «le bon», cet homme mythique et unique qui me donnerait l'envie d'oublier ma pilule. Ça ne m'arrive jamais de l'oublier. Même avec Carl, même avec Sylvain, même avec Francis. Même quand je reviens de voyage en sachant que je serai seule dans mon lit, ce qui la rend inutile.

Je prends ma pilule. Je n'aurai pas d'enfant. Ni de médaille d'or. En tout cas, pas ce mois-ci.

Ce que j'envie aux femmes qui ont des enfants, ce n'est pas tant les enfants eux-mêmes que le désir que les hommes ont eu d'en avoir avec *elles*. Il m'arrive même d'envier les femmes pour qui il est «trop tard». Elles sont enfin soulagées du fardeau de la décision d'en avoir ou pas.

Je crache le dentifrice dans la porcelaine de l'évier. Je fixe l'image que le miroir me renvoie comme on regarde un navire qui coule sans espoir de sauvetage. Même sous l'éclairage flatteur, difficile d'ignorer que la vie me fait de moins en moins de cadeaux. Je ne dors pas, je passe trop de temps dans les avions, et les dîners d'affaires qui s'accumulent sur mon tour de taille sapent toute l'énergie qu'il me reste après mes longues journées à planifier des stratégies gagnantes pour la prospérité du bois canadien. Le plus dur, c'est cette foutue tristesse qui s'entête à squatter mon regard, le privant de l'éclat qui illumine normalement ce que j'ai de plus beau : mes yeux.

Si on y regarde de près, sous un certain éclairage et avec beaucoup d'amour, on peut y voir un reflet d'or. Deux hommes ont remarqué ces minuscules paillettes dans mes noisettes : mon père et David. Depuis qu'ils ont quitté ma vie, c'est la débâcle. Mon père est mort sans prévenir, et je n'ai eu aucune nouvelle de David depuis que je l'ai abandonné pour courir en rejoindre un autre et, du coup, me fabriquer un karma de merde…

Ça m'apprendra.

L'eau brûlante me décape la peau. Je frotte au savon blanc jusqu'à ce que l'Orient soit tout entier avalé par le drain. Si un millénaire d'histoire peut disparaître en quelques minutes, imaginez les histoires d'amour…

Nous sommes peu de chose.

Et c'est ainsi que, toute nue, le regard fixé sur l'eau savonneuse qui disparaissait dans le grand néant des amours usées, j'ai pris la décision qui allait changer ma vie.

Notre destin dépend parfois d'une rigole d'eau qui s'enfuit et nous échappe, plus libre que nous.

LA BOUÉE

Je n'ai pas réfléchi. Je suis sortie de la salle de bain, les cheveux dégoulinant sur le plancher de pin rouge qui m'a coûté une fortune, et j'ai ouvert l'ordinateur.

En d'autres temps et dans une autre vie, un garçon a voulu de moi. Son amour m'a parée d'or et de lumière, et, pendant la brève année où nous nous sommes aimés, j'ai été cet oiseau de paradis, gavé de sucre et de fleurs, à qui rien n'était refusé.

Il est temps de le retrouver.

David Trueblood.

Je n'ai eu qu'à taper son nom dans mon ordinateur pour avoir droit à une page complète, dont un accès à son profil Facebook.

Du premier coup.

Le Web est peut-être moins romantique que la bouteille à la mer, mais il est drôlement plus efficace. Je dégouline donc devant le profil du premier garçon que j'ai aimé. Le premier avec qui j'ai fait l'amour. Le premier que j'ai quitté.

Nous étions « des enfants », des gamins qui s'émerveillaient de leurs corps sans savoir ce qu'est l'amour, le vrai, le grand, l'adulte. L'adolescente que j'étais m'exaspérait alors comme une petite sœur qui dérange. Je devais la répudier pour devenir une femme. Et, pour

BIBLIOTHÈQUE PUBLIQUE

cela, il me fallait quitter le garçon que j'aimais pour le premier homme qui passait.

À trente-sept ans, je ne suis toujours pas devenue une femme. Ou si peu. Et si mal. Je n'ai pas trouvé mieux que David, non plus.

Alors je reviens à lui. En quête de cette jeune fille tout illuminée par un amour qui la dore comme un soleil de juillet, et persuadée qu'il n'y a qu'à se baisser pour que toutes les marguerites se laissent cueillir du premier coup.

Le profil de David, ouvert, annonce qu'il est président de sa propre firme d'avocats, spécialisée dans le litige commercial, et que son expertise « porte sur le territoire maritime de l'Est ». Un homme d'ambition, ce qui est déjà une bonne nouvelle, doublée du fait qu'aucun prénom féminin n'est inscrit dans la case « relation ».

La moins bonne nouvelle, c'est que sa photo de profil est à contre-jour et qu'il m'est impossible de voir si la mécanique a tenu la route au fil des ans. Il est debout sur ce qui semble être le pont d'un petit voilier voguant sur des eaux d'un turquoise éblouissant. Il semble mince, mais le vent gonfle sa chemise, et une illusion d'optique est toujours possible.

Ou alors la photo date d'il y a dix ans. Va savoir.

Il n'y a qu'une façon de voir ses autres photos, c'est de lui envoyer une demande d'amitié.

C'est à ce moment de l'histoire que je juge bon d'ouvrir cette excellente bouteille de pomerol que j'ai gardée en réserve pour une grande occasion. Envoyer une demande d'amitié à ton premier amour, je crois que ça entre dans la catégorie des «grandes occasions».

Je vide le premier verre de premier cru, qui aurait gagné à respirer, et j'appuie sur la case «ajouter David Trueblood» en me disant que lui, au moins, a eu amplement le temps de respirer.

Je n'ai pas le temps d'angoisser sur le fait qu'il a toutes les raisons du monde de ne pas me répondre.

Pas une seconde je n'ai pensé à lui offrir ce que j'avais tant espéré de Francis, des excuses sincères pour le chagrin causé.

Ça ne m'a pas traversé l'esprit.

Comme vous pouvez le constater, la partie n'était pas gagnée. À ce stade-ci de l'histoire, seul un miracle aurait pu venir à bout de la somme de mes exigences toujours plus grandes envers les autres, jumelée à une remarquable cécité envers mes propres failles.

Ce n'était pas une poutre que j'avais dans l'œil, c'était la grange en entier. Elle contenait assez de paille pour que je puisse la chercher dans l'œil de tous ceux que je rencontrais. C'est ça quand on pense qu'on mérite le meilleur. On le laisse filer sous nos yeux, trop occupé à scruter ce qu'on ne nous donne pas.

Un petit carré de couleur apparaît sur mon écran.

Rouge.

Comme la lanterne de papier que j'ai rapportée de Chine : «David Trueblood a accepté votre demande d'amitié.»

L'espace d'une seconde, toujours aveugle au miracle qui vient de se produire, je lui en veux d'avoir répondu si vite. D'être si docile face à mon désir. Il me prive de l'euphorie de la chasse. De cette délicieuse angoisse qui naît avec l'homme qui fuit.

Il me dit oui, tout de suite, sans me faire languir. Ce n'est plus une victoire quand un homme dit oui tout de suite.

Vite, vite, je fouille sur sa page, en quête de preuves qu'il est devenu gros, laid et chauve, et qu'il m'a dit oui parce qu'il est désespéré.

Au lieu de quoi je rencontre un inconnu aux larges épaules, au visage anguleux, et à la chevelure noire et lustrée, striée de gris aux tempes.

David Trueblood est devenu un homme.

PAPIER PELURE

Ce qui suit est un rêve. Un tourbillon imprévu, une eau fraîche un jour de canicule, le flot langoureux d'une rivière qui te soulève et t'emporte comme une jeune mariée.

Je n'ai pas eu le temps d'avoir peur. Ni de me poser les mille et une questions que je me pose habituellement devant ce qui me rend vulnérable. Je n'ai pas eu le temps de saboter.

David m'a prise de court, hold-upée de la névrose, paralysée du sabotage.

On m'a dit depuis que, si on est chanceux, cette rencontre entre la réalité et la magie arrive une fois dans une vie.

Ça m'est arrivé. J'ai eu de la chance.

Dans ce vertige qui me prend chaque fois que je pense à lui – à ce monument délicat érigé en toute discrétion par chacun de ses gestes, ce qu'on appelle une vie –, je pense au privilège qui m'a été accordé d'être aimée de lui.

À moi qui ne le méritais pourtant pas.

Pendant des jours, nous avons correspondu comme seule la technologie moderne permet de le faire : avec frénésie, emportement et usure prématurée des piles de nos téléphones.

Je ne vis plus que pour les moments où je peux enfin sortir de réunion pour vérifier s'il m'a envoyé un message ou une image de Snoopy en train de gambader. Il adore Snoopy.

Je ne me sens pas menacée par cette affection qu'il porte à un chien imaginaire qui passe ses journées à causer avec un moineau ébouriffé.

Il me fait rire. Il me dit que je suis belle, mille fois plus qu'avant. Qu'il a toujours su que j'irais loin dans la vie, que je mènerais une carrière éblouissante.

Je ne lui dis rien des chambres d'hôtel aux fenêtres impossibles à ouvrir, des attentes poisseuses entre deux vols, des douanières méprisantes et des retours où personne ne m'attend.

Il me dit tout ce que je veux entendre, au moment où je veux l'entendre, léger quand je redoute qu'il soit lourd, solide quand il me sent fragile.

Je lui avoue redouter la vieillesse de ma mère. Mais pas que je souhaite qu'elle meure pendant une de mes absences plutôt que d'avoir à prendre les pénibles décisions de la fin de ses jours… Je sais, c'est épouvantable, ça ne se dit pas.

Alors je ne le dis pas.

Il habite « aux Îles », où il a un domaine face à la mer. Ça me trouble qu'il vive en marge des grands centres, loin d'une métropole, loin des affaires. Je me rassure en me persuadant qu'un avocat spécialisé en droit commercial se replace n'importe où, et que je saurai le convaincre des avantages de la ville.

Je ne lui parle pas de Francis. Ni de Marc avant Francis. Ni de Bruno avant Marc. Ni même de Sylvain ; pourtant, il y aurait beaucoup à dire sur Sylvain, mais non, je ne lui en parle pas. À quoi bon ?

Je lui parle de la Chine et de ses traditions millénaires dans la fabrication du papier. Il me répond qu'il m'écrira sur du vrai papier et qu'il mettra l'enveloppe à la poste. Comme avant.

Il vient de quitter une femme. Elle voulait des enfants. Il n'était pas sûr qu'elle voulait des enfants *avec lui*.

J'approuve sa décision sans réserve, comme si je n'avais pas déjà été cette femme qui cherche une preuve d'amour au lieu d'aimer. Si cette fille ne cherchait qu'un géniteur, alors il a bien fait de la quitter.

Oui, il a bien fait de la quitter. Sinon, nous ne serions pas en train de nous écrire vingt fois par jour, et même la nuit. Il n'a pas à se sentir coupable, on n'est pas responsable du bonheur des autres. Et puis, quand on se rend compte qu'on n'aime plus, mieux vaut partir, d'un coup sec.

J'ai envoyé ces mots-là. À cet homme-là.

Dans la seconde suivant le départ du message, les images du soir de notre rupture m'assaillent, violentes. Lui qui baisse la tête pour me cacher son visage, moi qui la détourne pour ne pas voir qu'il pleure. Je suis la victime d'une attaque de gang de rue que je n'ai pas vue venir. Je voudrais pouvoir voler afin d'intercepter le message avant qu'il se rende.

Trop tard.

Ma poitrine est un bloc de granit, figé par la peur. Il va me rejeter, lui aussi. Je n'entendrai plus jamais parler de lui. Et ce sera ma faute.

En une seule phrase qui fait ding sur mon téléphone, David me tire de cette ornière dans laquelle je m'embourbe.

« Les mères meurent, et en amour nous agissons tous mal. »

Désirs et monstres

Trois jours après mes mots malheureux, je demande à David s'il désire quitter le monde merveilleux du virtuel pour affronter le réel, prendre l'avion et venir jusqu'à moi. Face à face dans l'arène des possibles, en tête à tête dans l'éclat cru de la lumière du jour, les deux pieds dans les conséquences de ce désir que nous entretenons grâce aux antennes satellites.

Désir. Nom masculin. Aspiration à posséder quelque chose. J'espère son désir comme une enfant attend Noël. Tout entière à la merci que David manifeste l'envie et le besoin de me posséder, j'en oublie de penser à mes propres désirs.

Je n'en ai pas, sauf celui de susciter celui des hommes. Ou alors c'est que j'ai trop peur de réveiller les miens. Je n'ai pas encore appris à rire des monstres, et la fin tragique de Hulk me force à la prudence.

Alors je remets la suite du destin entre les mains d'un autre. Entre les mains d'un homme. Dans les bras de son désir.

Toi, as-tu envie de moi ?

J'attends.

INVITATION AU VOYAGE

Je viens de croiser Rosario devant le conteneur à déchets. Il m'a analysée d'un coup d'œil, mon sac-poubelle à la main, mes trois bouteilles de vin vides dans l'autre, et il m'a souri.

« Tu as rencontré quelqu'un.

— Comment tu le sais ? »

Il s'est mis à rire. Il rit comme un homme du Sud, en cascades chaudes, tout en tonalités musicales et enfantines. Enfin, c'est ce que je me dis, puisque je ne connais personne du Brésil sauf lui.

« Je le sais juste à ta démarche.

— Ah bon ?

— Tu ne te traînes plus, tu danses. »

Je dansais. Avec un sac-poubelle. J'y ai vu un signe.

« J'ai retrouvé quelqu'un, Rosario. Mon amour de jeunesse. »

Il a hoché la tête.

« Ah, tu retournes aux sources. »

Il a prononcé *rétourne*. Ça m'a fait sourire parce que ça sonnait comme *ristourne*. Et en un sens, c'en est une. Je souris beaucoup depuis mon retour aux sources et toutes ces ristournes.

« Et il t'aime encore ?

— Il m'écrit tous les jours. Il est plus beau qu'il y a vingt ans.

— Et toi ?

— Moi, je suis moins belle qu'à dix-sept ans.

— Non, je voulais dire : et toi, est-ce que tu l'aimes encore ? »

Il a plongé le chocolat velouté de ses yeux dans les miens. Et j'ai su ce que je ne pouvais pas me cacher plus longtemps. J'aime encore ce que David provoque chez moi, cet éclat d'or retrouvé, ce sentiment d'être reine du royaume.

« Oui, Rosario. Je l'aime encore. »

Ce qui, évidemment, n'est pas tout à fait vrai… Qu'importe ! J'ai jeté mon sac-poubelle dans le conteneur. J'ai entendu le choc sourd de mes déchets qui atterrissaient. Avec ce sac, j'ai balancé tous les rejets du monde, tous ces hommes qui m'ont tant fait pleurer.

Basta ! Basta cosi.

Et me voilà, le pas toujours dansant, en train d'écrire à David pour l'inviter à venir me voir en ville. Je planifie déjà notre visite à la cartomancienne marocaine. On ne sait jamais qui on peut rencontrer par hasard…

Il répond tout de suite.

Non.

Non ?

Non.

Je n'ai pas le temps de pleurer. D'autres mots entrent sur l'écran de mon téléphone : « Je ne viendrai pas à toi. Si nous devons nous revoir, je veux que nous fassions tous les deux la moitié du chemin. »

Fair enough.

Nous habitons à mille deux cent soixante-dix-neuf kilomètres l'un de l'autre. La moitié du chemin se situe à six cent trente-cinq kilomètres et demi exactement.

Google m'indique qu'à six cent trente-cinq «point cinq» kilomètres de chez moi en direction de chez lui, il y a une auberge dite «de charme» dont la terrasse donne sur une rivière baptisée «rivière aux Amours».

Ça ne s'invente pas.

Trois jours plus tard, je prends la route en direction de la rivière aux Amours.

Rosario m'a presque poussée en dehors de mon appartement tellement il a hâte que je parte. C'est lui qui a choisi mes tenues, achetées en panique, que des robes, fluides, féminines et décontractées. Moi, je n'y voyais plus clair et je serais partie trop chic ou trop sexy.

«Tu ne pars pas le séduire, *meu amor*, il est déjà séduit. Je te l'ai dit pour tous les autres, tu ne m'as jamais écouté, mais cette fois-ci, il faut promettre.

— Qu'est-ce que tu m'as dit pour les autres, Rosario? Je ne m'en souviens pas.

— Pas d'effort, Julia.

— Il faut quand même se forcer un peu si on veut...»

Il me prend dans ses bras musclés de danseur pour me faire taire. Il sait que ça marche à tout coup. Rosario est doué pour apaiser les petites bêtes nerveuses. J'appuie ma tête sur son torse, je respire son parfum, frais, vif, sensuel. Avec lui, j'abandonne la guerre sans effort.

«Tu vois? Comme ça.

— C'est parce que c'est toi, Rosario. Parce que je sais que tu...

— Attention à ce que tu vas dire.

— Parce que je sais que, pour toi et moi, il n'y a pas la possibilité d'un couple.

— Alors fais comme s'il n'y avait aucune possibilité de couple avec lui.»

Est-ce qu'il rit de moi ? Sans doute. Il m'arrive de me demander comment ce serait de faire l'amour avec Rosario. Je sais qu'il préfère les hommes, je sais.

Mais.

Les danseurs vivent en orbite, rebelles de la gravité et des lois de l'attraction terrestre. Ils ne sont ni hommes ni femmes, ils sont danseurs.

Ses mains chaudes quittent ma peau, je me sens nue.

«Pas d'effort, je vais essayer.

— Promets.

— D'accord. Je promets.»

Je n'en pense pas un mot, mais je jure quand même.

Rosario porte mon bagage et m'accompagne jusqu'à l'ascenseur. Les portes s'ouvrent. J'y entre, seule. Il me regarde, la tête penchée sur le côté, une lueur d'inquiétude dans les yeux.

Il a peur que je fasse tout foirer.

Pourquoi ?

La porte se ferme, je la bloque.

«Quoi, Rosario, quoi ? Si tu penses que je fais une connerie, dis-le maintenant !»

Il lève les yeux au ciel, hilare.

«Je pense que depuis que je te connais je ne t'ai vu faire que des conneries, alors une de plus ne changera rien à l'affaire, ma chérie. Cela dit…»

Et il marque une pause. Il est insupportable et il en est conscient.

«J'ai quelque chose à te dire.

— Quoi? Quoi? Crache!

— Pense aux images.

— ...»

Je ne sais pas de quoi il parle. Je déteste ça. Avec moi, il faut être précis.

«Quelles images, Rosario?

— Celles que tu verras sur la route.

— Je ne comprends pas. Sois plus clair.»

Il hausse les épaules, se détournant déjà.

«Ouvre les yeux, Julia. Pense à regarder la route.»

Je laisse les portes de l'ascenseur se refermer, stupéfaite.

Devant moi, un avis du concierge nous rappelle qu'il est strictement interdit d'utiliser les ascenseurs pour monter des vélos et que nous devons impérativement utiliser les casiers prévus à cet effet au sous-sol.

Suis-je censée être illuminée par une quelconque révélation? Pourquoi cette insistance de Rosario à vouloir que j'ouvre les yeux?

Évidemment que je vais regarder la route. Je suis toujours prudente au volant. Toujours.

LA ROUTE

Le regard fixé sur l'horizon, je ne vois rien d'autre que le filet de bitume qui me conduira jusqu'à lui. Champs, vallées, villes et villages sont des bornes servant à mesurer le temps qu'il reste avant nos retrouvailles. Tout mon être est tendu vers ce moment où je le verrai s'avancer vers moi, les bras ouverts, prêt à me soulever de terre comme quand nous avions dix-sept ans.

Avant de partir, j'ai entré la destination dans le GPS de mon téléphone. Je n'ai qu'à suivre les indications. Je ne veux pas risquer de me perdre. Comme chaque fois que je m'émerveille devant cette invention technologique qui nous guide et nous mène à bon port, je me dis qu'il nous faudrait la même chose pour nos vies : une application facile à installer sur des téléphones plus intelligents que nous et qui nous indiquerait le chemin pour nous rendre au bonheur du premier coup. Ça m'aurait évité maintes fois de prendre le mauvais embranchement, la route qui fonce dans l'impasse, et le sentier qui débouche sur une falaise de roches.

Tout à coup, je suis nerveuse, inquiète, angoissée. La dernière fois que David m'a vue, j'avais dix-sept ans et j'étais belle comme on ne peut l'être qu'à dix-sept ans, dans la plus parfaite insouciance de ma beauté.

J'ai peur de sa déception. Peur qu'il ne me trouve pas assez mince, assez jeune, assez belle. Je suis allée chez le coiffeur pour éclaircir mes cheveux auburn, chez l'esthéticienne pour qu'elle me lisse de partout, sous la lampe de bronzage pour dorer ma peau. J'ai cessé de manger et j'ai acheté une jolie robe émeraude qui met mes yeux en valeur. Est-ce assez? Posera-t-il des yeux bienveillants sur la Julia *vintage*? Assez pour manifester du désir envers ce corps que je n'aime ni ne chéris?

Je n'en sais rien. Alors je fixe la ligne blanche sur la route et j'appuie sur l'accélérateur en me retenant pour ne pas foncer jusqu'à la falaise.

Tu ne t'en vas pas vers une falaise. Tu t'en vas à la rivière aux Amours. Retrouver un homme qui t'adore, qui t'attend, qui t'espère.

Mon téléphone m'annonce qu'un message vient d'entrer. Je ne devrais pas regarder, ce n'est pas prudent. Je regarde quand même.

«Inutile de t'énerver, c'est moi.»

Je me détends. C'est lui. C'est moi. Ça va aller. Je tape sur mon écran à toute vitesse, un œil sur la route.

«Tu n'es pas nerveux, toi?»

«Non, puisque c'est toi.»

Et il signe d'un Snoopy gambadant.

DAVID

David n'est pas nerveux. Il va revoir Julia.

Sa main cherche le bouton de la radio pour faire taire Mack Rice qui s'écorche la voix sur *Mustang Sally*. Il veut savourer la plénitude que lui procure le fait d'articuler à voix haute le prénom de la fille qu'il va retrouver.

Djoullllia.

Tout son être frémit aux seules sonorités de son prénom.

Il ne se fait aucune illusion sur la fille qui a été et qui est toujours l'amour de sa vie. D'elle, il a tout vu, tout senti. Sa sensibilité, l'or de ses yeux quand la vie l'emportait si fort dans son flot qu'elle en oubliait d'avoir peur, son intelligence, son désir d'apprendre et d'être la meilleure, mais aussi ses insécurités, ses coups de colère, son besoin de tout contrôler, son narcissisme.

Malgré le soin qu'elle a mis à choisir les photos de son profil, David a deviné à son visage qu'elle a grossi et qu'elle le vit mal. Il a su, juste au fait de s'inquiéter de son mal-être plus que de la grosseur de ses cuisses, qu'il l'aimait encore. Qu'il l'aimerait toujours.

Il sait *qui* elle est. Et leurs échanges des dernières semaines n'ont fait que le confirmer : elle n'a pas changé.

Pour un autre que lui, cet état de choses aurait pu être perçu comme une immaturité tenace, un refus d'évoluer, de s'épanouir. Mais David en est heureux. Ce qu'il y avait eu de plus douloureux dans leur rupture était le sentiment de ne pas être allé au bout de quelque chose. Comme quand il travaille sur un meuble et qu'il doit quitter la plénitude de son atelier et le plaisir sensuel de la rencontre entre ses mains et le bois pour retrouver son costume et sa cravate d'avocat.

À l'idée de Julia qui vient vers lui, presque à destination, il éprouve la même émotion que le jour où il a terminé le banc d'acajou au grain dur et aux accoudoirs embouvetés.

Un banc qu'il a installé face à la mer, ancré dans le roc, et sur lequel il prendrait la main de Julia en lui racontant qu'il avait fabriqué ce banc à l'image de leur histoire : modeste et imparfait, mais qui résisterait aux intempéries.

Il doute qu'elle soit émue par sa métaphore. Il s'attend même à un éclat de rire moqueur, comme elle en a le secret, tête renversée, découvrant ses canines un peu pointues qu'elle oublierait de cacher. Il l'imagine se foutre de sa gueule, le traiter de cucul, mais au final elle mettrait sa main sur son genou, à la fois rétive et affamée d'amour.

David sait parfaitement dans quoi il s'embarque en allant retrouver Julia. Et il est prêt. Prêt à aller jusqu'au bout. Prêt aux intempéries. Prêt à la perdre une seconde fois.

Ce n'est pas qu'il ne connaisse ni la peur ni l'orgueil. C'est qu'il aime le travail bien fait, la « belle ouvrage » et l'achèvement des projets, petits et grands.

Julia est un grand projet.

Comme chaque fois qu'il pense à elle, la réalité se vautre dans la volupté, charnelle et charnue, s'offrant à ses sens comme une femme amoureuse ; le parfum des cultures qui arrivent à maturité, le toit rouge d'une ferme laitière, éclatant comme un coquelicot dans la somptuosité de la lumière, cette boîte à lettres turquoise au bout d'une allée bordée de framboisiers sauvages, le camaïeu des vallons et des vallées, le duvet velouté des quenouilles dans les fossés et les mille et un boutons d'or vif qui ornent le bord du chemin, en mille et une rébellions contre la loi et l'ordre.

Comme chaque fois qu'il pense à elle, rien ne lui échappe.

Même pas le chien au milieu de la route.

Rivière aux Amours

Je l'ai attendu. Et attendu. Et attendu encore, assise sur la vaste véranda de bois – du teck importé, je le devinais à l'œil nu – qui donnait sur la langueur paresseuse de la rivière aux Amours. Le bouquet de fleurs sauvages marinant dans un verre à moutarde perdait son charme, ma robe légère devenait de plus en plus moite, mon chardonnay me semblait de moins en moins salvateur et ma joie tournait de plus en plus à la colère.

L'humour insouciant des premiers textos que j'avais envoyés à David a fait place à l'inquiétude, puis à l'amertume, pour se terminer en vindicte rageuse. Avec des mots qui me font encore mal au ventre aujourd'hui tant ils sont laids.

J'ai payé ma facture et j'ai repris la route en sens inverse. Le pied lourd de peine sur l'accélérateur, je ne me suis pas arrêtée une seule fois. Six heures de route à fond de train, de l'alcool dans le sang, de l'acide au cœur et la robe émeraude balancée sur le siège arrière.

J'ai cru qu'il m'avait fait croire à nos retrouvailles uniquement pour se venger. J'ai cru qu'il avait voulu m'humilier comme je l'avais humilié le soir de notre bal de graduation en le quittant pour un autre. J'ai cru qu'il était cet être mesquin, infusé au vitriol du ressentiment, et capable de ce pire que je portais en moi et que je projetais sur lui.

C'est en consultant sa page Facebook avec la ferme intention de l'insulter, à la face du monde entier cette fois, que je suis tombée sur trois lettres que j'ai mis plusieurs minutes à comprendre et que toute l'éternité ne suffira pas à me faire accepter.

R.I.P. Rest in peace.

David s'était tué dans un accident de voiture, juste avant la sortie de l'autoroute qui menait à la rivière aux Amours, en voulant éviter un chien qui traversait la route.

C'est ce que le conducteur qui le suivait avait raconté aux policiers. Que c'était à cause du chien, qu'il ne roulait même pas vite. David avait été surpris par la bête qui s'était précipitée devant ses roues et son réflexe avait été d'essayer de la contourner.

Il avait percuté un arbre. Un chêne centenaire, poussé avec incongruité en bordure de ce champ de maïs. Le chêne avait presque été terrassé par la force de l'impact.

Mon David.

J'ai pensé à Snoopy qu'il aimait tant. À Snoopy qui s'est mis sur son chemin pour l'envoyer contre un arbre. Un chêne. C'est important de préciser. C'est une essence solide, le chêne.

Les derniers mots à entrer sur l'écran de son téléphone ont été les miens. Des mots de violence qui lui auraient dévasté le cœur s'il avait été encore vivant pour les lire.

Tu es un minable et tu mérites de crever tout seul.

Je ne sais pas si quelqu'un a lu ses messages.

Les bons jours, j'arrive à me convaincre que le téléphone a été détruit par l'impact. Que personne ne saura jamais.

Les mauvais jours, et ils sont nombreux, je maudis le chien du malheur. À qui appartenait-il ? Pourquoi son maître ne l'avait-il pas tenu en laisse ? Était-ce un chien errant ? Pourquoi cet animal maléfique s'est-il jeté devant les roues de David ? Pour que le sort s'acharne sur moi ?

Je n'aimais déjà pas les chiens, maintenant je les déteste.

David est mort sur le coup. Avant l'arrivée des secours, en route pour me rejoindre, parce que son dernier réflexe d'homme vivant a été de vouloir éviter de donner la mort.

À un animal.

C'est le genre d'homme qu'il était : un imbécile. Mais c'était *mon* imbécile. Le seul qui l'était suffisamment pour entreprendre un périple vers la femme qui l'avait pourtant trahi, abandonné et blessé. Le seul idiot sur terre à m'aimer.

Comment me serait-il possible de faire le deuil d'un homme comme lui ?

Le chien, lui, s'est enfui, sain et sauf, son crime pour toujours impuni.

UNE CORDE JAUNE

Dans le noir de la nuit, éclairé par le tungstène du lampadaire, le chien est là.

Juste à l'entrée de la ruelle qui mène à mon appartement. Attaché à un poteau par une corde de nylon jaune. C'est un gros chien au poil brun et court avec une tête carrée, une queue coupée, une grosse tache blanche sur son torse puissant et une gueule de laine d'acier. Il est assis au bout de sa corde, et il me regarde.

Le taxi vient de me déposer. J'arrive de Charleston en Caroline du Sud, où la compagnie pour laquelle je travaille fait rouler une usine qui transforme la pâte de bois en couches pour bébés. J'irai vendre ces couches en Chine, où la politique de l'enfant unique s'assouplit de plus en plus. Un marché gigantesque. Sans compter les couches pour les vieux.

Je fais exprès d'éluder, de faire diversion. Je voudrais pouvoir parler de ce qui m'habite depuis la mort de David, mais je ne sais pas comment, et je doute d'y arriver un jour. Alors je bosse sur l'expansion du marché pour le bois canadien et je multiplie les voyages d'affaires, les réunions qui s'éternisent et les petits déjeuners où j'explique des études de marché, des graphiques et des projections de coûts. Je détestais les statistiques jusqu'à ce que toute ma tête exige que je m'y plonge pour éviter de penser, de sentir. Je maîtrise maintenant si bien les statistiques que je pourrais devenir actuaire. Quelles étaient les probabilités que je retrouve David après vingt ans? Plutôt bonnes. Que nous tombions amoureux de nouveau? À peu près nulles vu mon sale caractère, mais pas impossible. Qu'il meure sur la route en venant me rejoindre? Une sur un milliard.

Championne des statistiques.

Je ne supporte pas que mon amie Élisabeth me questionne sur la mort de David en insistant sur le fait que je «dois en parler». D'autant plus qu'au moment où je pourrais avoir quelque chose à dire, elle m'interrompt pour me parler de son bébé. Tous ces gens persuadés que la parole – ce bruit incessant qui fait que tout le monde monte le ton et que personne ne s'écoute – est la panacée à tous les maux de la terre me répugnent. Ils ne savent faire que ça, parler.

Le jour où l'un d'eux saura se taire pour inventer la résurrection de David, je l'écouterai. D'ici là, je préfère le silence.

Rosario a tenté de me consoler. Il n'y est pas arrivé. Il m'a prise dans ses bras tous les jours. Chaque fois en espérant que je me laisse aller, que je m'abandonne, que je pleure enfin. Ça ou espérer qu'une épave de bois de grève se transforme en souple roseau relève de la même utopie. Je suis restée raide, et les larmes ne sont jamais venues.

J'ai senti qu'il renonçait. Quand Rosario renonce, c'est qu'il n'y a rien à faire. Il m'a quand même encouragée à aller aux funérailles, comme s'il me tendait un ultime bâton. La cérémonie avait lieu dans la petite ville où nous avions grandi, David et moi. Tout le monde me connaissait. Je connaissais tout le monde. Surtout la mère de David, qui s'était toujours méfiée de moi et m'avait bien fait sentir que je ne pouvais rien apporter de bon à son fils.

La vie – la mort surtout – lui avait donné raison.

Affronter le regard de la mère de David était au-dessus de mes forces. Je ne suis pas allée à l'enterrement. Je n'ai pas envoyé de fleurs. Je n'ai même pas écrit un de ces témoignages émouvants et pleins d'humour qui abondaient sur sa page Facebook.

Comme s'il pouvait les lire.

Dans le noir de la nuit, éclairé par le tungstène du lampadaire, le chien est là.

Je n'ose pas avancer. Je n'aime pas les chiens. Je dis que je ne les aime pas pour éviter d'avouer que j'en ai peur. Ils jappent, sautent, mordent et font mourir les hommes qui vont à un rendez-vous amoureux. Ce chien-là attend, assis. Seuls ses yeux suivent chacun de mes mouvements.

Il n'a pas de collier. Seulement la corde de nylon jaune autour de son cou massif, nouée en une boucle coulissante qui le garde attaché au poteau. Si la corde n'est pas trop longue, j'ai assez d'espace pour contourner la bête sans avoir à l'affronter. Sinon, il faudra bien que je l'attaque avec ma valise à roulettes.

Je frissonne, transie. En l'espace de quelques jours, les dernières chaleurs de l'automne sont parties et il ne reste plus que le froid humide de novembre. Je ne vais pas passer la nuit là parce que j'ai peur, quand même. J'avance d'un pas. La bête ne bronche pas, attentive à mes moindres mouvements. Si ça se trouve, elle va me sauter dessus au dernier moment. Tant pis, j'irai rejoindre David dans le club des morts par faute canine.

Les roues de ma valise font un vacarme épouvantable dans la ruelle silencieuse. Je sens le regard du chien sur moi, sa présence massive. J'entends son souffle, le frottement de la corde sur le sol. Je le dépasse, voilà, c'est fini, il ne m'a pas attaquée.

Je me retourne pour surveiller mes arrières.

Il s'ébroue, le corps frémissant. Son souffle fait des nuages de buée. Régulier comme un train.

Je n'y connais rien, mais on ne dirait pas un berger allemand.

JASMIN JAUNE

Un long frisson me parcourt le corps quand j'entre dans l'eau brûlante. Couverte de buée, la salle de bain embaume le jasmin jaune, emblème floral de cette ville sudiste, des sels offerts par le directeur de l'usine de Charleston. Ou plutôt par sa femme, ils ont tous une femme qui s'occupe de « ces choses-là » pour eux. Les petits cadeaux, les attentions, les délicatesses sociales, ce sont les épouses qui s'en chargent. Et aucun des hommes qui m'ont assuré avec la plus belle sincérité du monde avoir respect et admiration pour ma carrière n'a offert d'acheter des sels de bain pour faciliter la progression de ladite carrière. J'en ai déduit que les hommes ne prennent pas de bain, seulement des douches.

J'essaie de ne penser à rien. C'est un exercice difficile malgré l'aide que peut m'apporter le verre de puligny-montrachet que j'ai ouvert dans le but d'améliorer mon amnésie.

Ma pensée dérive vers le chien de la ruelle. Les bergers allemands ont le poil long, et lui le poil court. Ça ne peut donc pas être un chien de la même race que celle qui avait tué David. Mais alors quoi? Un pit-bull, sans doute. Une de ces bêtes féroces, dressées pour tuer, dont la mâchoire se cadenasse sur leur proie jusqu'à ce qu'elle meure. J'ai vu un reportage sur ces chiens et…

Le chien de la ruelle n'a pas grogné. Il n'a pas montré les dents non plus. La seule fois où il a bougé, c'était pour se secouer.

On est en novembre. La nuit. Il faut que la bête bouge si elle ne veut pas mourir de froid.

Je vide mon verre de vin en essayant de me détendre dans l'eau chaude et parfumée. Le maître du chien a dû venir le récupérer. On ne laisse pas une bête au poil si court dehors toute la nuit, quand même. Ça doit être le visiteur d'un voisin qui n'a pas voulu laisser entrer le chien. Les gens ont des allergies à tout, aujourd'hui. Le maître fait une courte visite à un ami, il viendra ensuite chercher son chien, le fera monter dans sa voiture et… Mais pourquoi ne pas avoir laissé le chien dans l'auto, alors? La bête aurait eu moins froid.

« C'est peut-être quelqu'un qui est venu à pied? »

Je parle à voix haute, toute seule. Un des dommages collatéraux de la mort de David. Je suis maintenant cette folle qui se parle à elle-même, et qui se répond. *Here in the South, we don't hide crazy, we parade it on the porch and offer it a cocktail*[1].

Si j'étais vraiment folle, du moins assez pour être une femme intéressante, je demanderais un transfert et j'irais refaire ma vie en Caroline du Sud. Dans cette ville sudiste où l'on célèbre la folie, je pourrais tout oublier en apprenant à surfer sur les vagues de Folly

---

1. « Ici, dans le Sud, on ne cache pas la folie. On lui offre à boire, et on l'invite à se donner en spectacle sur la galerie pour que toute la rue en profite. »

Beach, où j'ai vu un chien, un blond à poil long, sans doute un labrador, nager dans les vagues à côté de son maître.

Le chien de la ruelle a le poil très court. Ce n'est ni un labrador ni un berger allemand. De quelle race est-il ? Est-ce que nous aurions eu une chance, David et moi, s'il n'était pas mort ?

Je n'en peux plus des questions sans réponses. Comment font les autres ?

Je sors du bain, j'enfile un pantalon de pyjama et un chandail en polar. C'est plus fort que moi, il faut que j'aille voir si le chien est encore là.

Il est encore là.

LA NUIT JE MENS

Il tourne son regard vers moi, attentif et frémissant. À quoi ça pense, un chien, la nuit?

À son maître qui n'est toujours pas revenu le chercher, me dit la raison.

À cette femme en pyjama qui reste plantée là sans *agir*, me dit mon cœur.

Il fait froid, pire que tout à l'heure. De loin, je vois les petits nuages de buée qui sortent de sa truffe, on dirait des signaux de fumée. Un Cheyenne qui envoie un message à un Sioux la veille de la bataille de Little Big Horn. Ou moi, le soir où Francis m'a annoncé que nous n'avions aucun avenir ensemble et abandonnée sur le coin d'une rue.

Je ne sais pas quoi faire. Alors je vais cogner à la porte de Rosario. Il m'ouvre, la chevelure endiablée.

« *Qué?*

— Il y a un chien dans la ruelle.»

Rosario hausse un sourcil, interloqué. Derrière lui, la silhouette d'un homme flambant nu. Je le dérange. Je les dérange.

«Je te dérange.

— Oui, réplique-t-il, de la frustration plein la voix.

— Je crois qu'il est abandonné.

— Tu n'aimes pas les chiens.

— Je déteste les chiens, mais toi, non, et j'ai peur d'y aller toute seule.»

Rosario s'étire le cou dans le froid de la nuit, sans doute pour vérifier si j'ai pris des substances hallucinogènes. À sa grande contrariété, il n'en est rien. Le chien tourne en rond au bout de deux pieds de corde jaune, incapable de rester en place tant il a froid.

Rosario laisse échapper une exclamation en portugais. Je n'ai pas besoin de dictionnaire pour savoir que c'est un juron, et qu'il n'a pas choisi le plus délicat.

Et c'est comme ça que je me retrouve à tendre un bol d'eau et une couverture à un chien abandonné, entourée de Rosario et de son amant du moment, serveur au Tango Café.

Je pousse le bol du bout du pied, et je me tourne vers Rosario.

«Vas-y, toi.

— Tu as peur?

— … Non.»

Je mens. Il le sait. Son amant le sait. Même le chien n'est pas dupe. J'attends que Rosario s'approche de la bête. Mais il reste planté là, coulant un œil noir plein de désir à son compagnon d'un soir, qui s'allume une Gitane. Ils échangent un regard qui ne laisse rien d'équivoque, ils n'ont qu'une envie, se sauter dessus au plus vite. De préférence au chaud.

«Ton ami, il a peur des chiens?»

Dans le doute, une fille s'informe.

«Je m'appelle Sébastien, je ne peux pas blairer les clebs et je ne suis pas son ami.»

Un Français. Une opinion sur tout, de l'efficacité sur rien. Merveilleux.

Je m'apprête à faire demi-tour lorsque le chien laisse échapper un son. Presque rien. Un souffle, un murmure. Mais la musique est limpide, c'est une plainte en *si* mineur.

Je m'approche de la bête. Elle renifle, puis lape le contenu du bol jusqu'à ce qu'il n'y ait plus rien. On dirait un pit-bull. Je dépose la vieille couverture de polar à ses pieds. Le chien gratte la couverture avec ses pattes de devant. Ça lui fera de quoi se blottir en attendant que son maître revienne.

« Il va revenir. »

Alain Bashung visite ma nuit, et comme lui je mens. Exactement comme quand Élisabeth me répète « Ce n'est pas toi, c'est lui » en me parlant des hommes qui me quittent, alors que nous savons toutes les deux que c'est aussi un peu beaucoup moi, mais que ni l'une ni l'autre n'ose le dire à voix haute. Comme je ne lui dis pas qu'elle s'est accommodée d'un homme pour qui elle n'éprouve aucun élan simplement parce que son utérus parlait plus fort que sa raison.

L'amitié, c'est une quantité phénoménale de mensonges. À la fin, on ne se dit plus rien. Ça use. Ce qui explique pourquoi je n'ai que deux amis. Je suis usée. À la corde. De toute façon, je n'ai pas le temps d'avoir des amis, je travaille.

J'entends un raclement de gorge derrière moi. Rosario.

« T'as l'intention de passer la nuit ici ? »

Je me détourne du chien et je regarde Rosario.

«Tu me mens souvent, Rosario?

— Tu as vraiment choisi ta nuit pour les grandes questions!

— Ce n'est pas une réponse.

— Je vais te dire la vérité qui ne détruit pas l'amitié, *querida.*»

C'est son truc, ça, les phrases qui tuent au moment où tu t'y attends le moins. Ça doit être le fait d'avoir poussé dans un climat équatorial qui veut ça. J'attends donc qu'il me terrasse sans me détruire, prête à encaisser.

«Tu es la fille la plus chiante que j'aie rencontrée dans ma vie, et il arrive que je m'abstienne de te le dire.

— Pour éviter de détruire l'amitié, dis-je, dévastée.

— *Verdade…*»

Son petit Français s'impatiente, peu sensible aux subtilités de notre amitié. Rosario glisse son bras sous le mien et, son amant sur nos talons, me raccompagne jusqu'à ma porte, jusqu'à ce que je sois en sécurité à l'intérieur. Au chaud, et à l'abri de trop de vérité.

Dans ce bel appartement qui est le mien, je n'aurai ni froid ni peur.

Sauf de la vie elle-même.

LA BÊTE

Une heure plus tard, je ne dors toujours pas. Le corps en sueur, les draps froissés, l'oreiller en cavale, obsédée par le chien. Qui l'a laissé là ? Pourquoi ? Est-ce qu'il avait mordu quelqu'un au sang ? Pissé partout ? Déchiqueté tous les meubles d'une maison ? Quelle tare lui avait valu d'être ainsi laissé pour compte dans une ruelle sombre, en pleine froidure ? Est-ce que mes voisins qui ne dorment plus depuis qu'ils ont un enfant qui pleure comme si sa vie en dépendait l'abandonneraient dans la nuit ?

Le maître l'avait sans doute grondé, menacé, s'était résigné à l'euthanasier, puis il avait eu des remords et, sous le poids de sa lâcheté, avait laissé la bête, sa bête, au premier coin de rue un peu désert, licou jaune autour du cou.

La bête a fait quelque chose de mal.

Quoi ?

Est-ce que j'avais fait quelque chose de mal, moi, pour que Francis m'abandonne au coin d'une rue ? J'ai toujours cru que c'était lui le fautif, l'unique grand coupable, pas moi.

Le chien de la ruelle me fait douter. Je n'aime pas ça.

Et si j'avais donné à Francis des raisons de me quitter ? Et si j'avais des responsabilités dans cette rupture ? Et si, ô horreur des horreurs, c'était mon comportement, comme celui d'un chien mal éduqué, qui m'avait valu de ne pas être aimée ?

Non. Non, non, non.

Je ne suis pas un chien. Je vais en Chine, je développe des marchés internationaux, je suis une fille formidable et je rapporte des lanternes de papier pour me prouver que je suis capable d'exotisme au même titre que les grands aventuriers.

Je n'ai rien fait de mal avec Francis. Celui avec lequel je me suis mal comportée et qui pourtant m'a aimée de manière *inconditionnelle*, c'est David.

David est la preuve de tout ce qui est contraire à mes convictions profondes : l'amour ne fonctionne pas au mérite.

Du côté de chez Rosario, je n'entends que le silence. Ils dorment, apaisés par leurs corps. Il m'arrive de penser qu'il ne ramène des amants que pour mieux dormir. Il m'arrive de l'envier. Moi, on m'embrasse et je planifie déjà l'avenir. Rosario n'arrête pas de me le reprocher d'ailleurs : «Julia, tu ne t'abandonnes pas au moment présent, tu anticipes.»

Anticiper. Verbe intransitif. Aller trop loin en imaginant des événements futurs. Moi qui n'ai pourtant aucune imagination, dès qu'un homme m'embrasse, j'imagine. Nos marches sur la plage, lui qui s'agenouille, moi qui tourbillonne, le vin qui coule, le feu qui crépite, je sais, j'ai des images banales, ce sont les miennes, les seules dont ma pauvre imagination soit capable, il se penche à mon oreille, me murmure des mots doux, je suis la plus belle, il m'embrasse, m'emporte, et notre bonheur fait l'envie des autres. Quand un homme m'embrasse, je ne suis déjà plus dans ses bras, évadée dans l'avenir. J'anticipe.

Ce soir, je ne suis dans les bras de personne, et l'image qui me hante est celle d'un chien sous un lampadaire. Un regard. Deux billes de chocolat amer, à l'affût de chacun de mes tressaillements.

Ce n'est pas le chien, me répète ma voix, c'est ton esprit épuisé qui n'en peut plus des mers démontées, qui cherche avec désespoir un endroit pour s'ancrer.

Juste pour la nuit.

Cette bête abandonnée est un quai. C'est tout. Si j'y pense assez longtemps, je pourrai éviter une insomnie lancinante, fabriquée à même toutes les peurs et les peines qui lambrissent mes jours. Je pourrai enfin fuir dans le sommeil. Alors je me concentre sur le chien, ses crocs, son torse massif et sa gueule de tueur.

Voilà une heure que je n'ai pas pensé à David.

DÉTACHER LA CORDE

La peur est toujours là, agitée. Sur le sol, la corde jaune ondule comme un serpent. Je voudrais que la bête soit calme, qu'elle m'aide à aller vers elle. Mais les bêtes inquiètes sont rarement calmes, j'en sais quelque chose.

Le chien s'assoit, toute sa volonté au service de ce calme qu'il sait nécessaire pour m'apprivoiser.

Il faut y aller, Julia. Tu vois bien que cette pauvre bête fait des efforts, tu n'as plus d'excuses, maintenant.

J'ai le ventre en bouillie, la poitrine en sueur malgré le froid. Et puis une pensée me traverse le cœur : que la bête me morde. Qu'elle me morde enfin pour que ma douleur existe, devienne visible aux yeux de tous.

J'avance la main vers sa gueule. Le chien penche la tête et la renifle. Une main parfumée au jasmin, manucurée de beige, adoucie par une crème qui me fait des promesses de jeunesse.

Le chien s'en fout de la jeunesse de mes mains. Il me frôle de sa truffe. Un frémissement me parcourt le corps tout entier. Lentement, d'une douceur exquise, une langue rose glisse sur ma peau.

« Ne me lèche pas, chien, c'est plein de crème, tu vas être malade. »

Il ne m'écoute pas. Sa langue arpente chaque recoin de ma main, entre les doigts, sur la veine à fleur de peau du poignet. Je fixe le sol, ses pattes blanches sur la couverture de polar rouge. J'ai lu quelque part que les chiens n'aiment pas qu'on les regarde dans les yeux. Qu'ils le reçoivent comme un geste d'intimidation. Je connais des hommes comme ça aussi.

Je touche la tête de la bête, son crâne osseux, ses oreilles veloutées comme les pétales d'une rose. Nos regards se croisent, incertains et effrayés.

Le temps s'arrête.

Je ne sais pas nommer ce que je sens. Une marée qui monte. Deux solitudes. Une reconnaissance tacite de nos besoins respectifs. La truffe humide et froide d'un chien abandonné qui trouve la main chaude et fragile d'une fille désemparée.

Comme la vie est étonnante lorsqu'on oublie d'avoir peur. Comme la vie est étonnante quand on se laisse surprendre par la soie fine d'une oreille de chien.

Demain, je chercherai son maître. Demain, j'appellerai la Société de protection des animaux. Demain, ils lui chercheront un foyer et, si personne n'en veut, après-demain il sera mort.

Demain. Pas ce soir.

Ce soir, je détache la corde jaune. De mes doigts glacés, je dénoue le nœud, gauche et maladroite. C'est la première fois de ma vie que je fais ça, détacher la corde d'une bête qui attend qu'on la sauve.

Il faut une première fois à tout.

Le chien me suit, docile et empressé. Je sais que c'est parce qu'il a froid, mais je m'en fous.

Moi aussi j'ai froid.

MOLOSSE *AL DENTE*

Je pensais qu'il résisterait, qu'il me donnerait du fil à retordre, que je devrais le convaincre avec des manœuvres habiles, mais non. Je n'ai pas eu besoin de tirer sur la corde. Je n'ai pas eu à le forcer.

Comme David. Je n'avais pas eu besoin de le convaincre non plus. Pas de *pitch de vente*, pas d'arguments imparables, pas de gestes grandioses pour qu'il me doive quelque chose. Facile. Fluide. Sans effort.

L'amour, ça devrait toujours être ça, un chien qui te suit dans la nuit.

En entrant dans la cuisine chaude, l'animal hume la pièce, sans doute en quête de quelques parfums de cuisine. Il peut renifler tant qu'il veut, il ne trouvera que le parfum d'un fond de pinot grigio, du café Mibirizi moulu du matin et du désinfectant «pour surfaces de granit». Rien pour exciter un chien.

À peine la porte verrouillée sur la nuit, j'ai des doutes. Que faire de l'animal maintenant? L'enfermer pour la nuit? Où? Et si je ne l'enferme pas, est-ce que je trouverai mon appartement ravagé par ses crocs au petit matin? Est-ce qu'il se sera soulagé sur le plancher d'ébène des pharaons, une folie qui ne doit rien à la compagnie pour laquelle je travaille et tout au mpingo d'Afrique orientale?

Je vais à l'évier pour lui remplir un bol d'eau. J'entends un son insolite, clic clic clic. Ses griffes sur le vernis du plancher. Il me suit.

« Qu'est-ce que tu veux ? »

Il s'assoit. Et tout à coup, réveillée par la chaleur de mon appartement, l'odeur s'épanouit et me prend à la gorge. Cet animal pue.

« Chien, tu as besoin d'un bain. »

À mon grand étonnement, il me laisse le mettre sous la douche et le savonner vigoureusement avec mon meilleur shampoing, celui qui me jure qu'il accentuera la luminosité de mes mèches décolorées avec soin par Brigitte, ma coiffeuse.

Je frotte, je masse, j'astique. Sous mes doigts, je sens l'ossature saillante de sa cage thoracique ; il est maigre, la peau collée à l'os, aux muscles de ses pattes arrière, à la carrure massive de son torse. Du sang coule sur la porcelaine blanche. Je cherche la blessure, je ne la trouve pas. D'où vient ce sang ? Je n'ai pas le temps de m'inquiéter qu'il cesse de couler.

Le fond de la douche est une hécatombe de poils et de saleté. Mais l'animal est propre et il se laisse éponger par la première serviette à portée de main.

« Voilà. »

Sous la couche de crasse et de poussière, son pelage bringé – caramel brûlé strié de noir – scintille.

« Tu vois, tu es beau maintenant. »

Il a le bon goût de ne pas me contredire, enfouissant son museau dans la serviette.

« Tu aimes ça quand je te frotte ? »

Il aime ça.

« T'as faim ? »

Il me suit, trottant sur mes talons. Qu'est-ce qu'on donne à manger à un chien ? Je n'ai pas de viande, je n'en mange presque plus, mais il reste une tranche de jambon sec et des pâtes Alfredo. Trente secondes de micro-ondes plus tard, il s'approche du plat, hésite quelques secondes et dévore le contenu de l'assiette, nettoyant ce qui reste de crème au parmesan d'une langue experte.

Il aime ses pâtes *al dente*, d'accord. Je dois lui donner ça, c'est la première fois qu'un être vivant manifeste de l'enthousiasme pour ma cuisine. Martha et moi, on ne sera jamais des amies, même en rêve, mais ventre affamé n'a pas besoin d'étoiles pour manger. Un point pour lui.

Je lui installe une vieille serviette à même le sol en guise de lit. Chiante à ne pas laisser un chien dehors. C'est Rosario qui serait fier de moi.

Contrairement à mon habitude depuis la mort de David, et pour être sûre de me réveiller si d'aventure un représentant de l'espèce canine se mettait en tête de dépecer mon divan de cuir pendant la nuit, je ne prends pas de somnifère ce soir-là.

Contrairement à mon habitude depuis la mort de David, je dors comme un bébé.

ORPHELIN DE DROITS

Je vous le jure, j'ai fait tout ce qu'il fallait. J'ai mis des pancartes, j'ai appelé tous les organismes de secours des animaux, j'ai fait la tournée du quartier en m'arrêtant dans chacun des parcs à chiens.

En vain. Personne ne cherche le chien.

Le premier matin, je me dépêche de le sortir avant d'aller au travail. Sitôt dehors, le chien s'accroupit pour se soulager. Évidemment, je n'ai pas pensé à prendre un sac de plastique. Je me fais crier après par un monsieur qui me traite de « fanatique des animaux, les humains aussi ont des droits, vous saurez ! ».

J'ai honte. Vite, vite, je tire sur la corde jaune pour retourner chercher un sac à l'appartement. Une dame qui promène une petite chose pomponnée m'engueule parce que mon chien n'a pas de collier et que je « l'étrangle » avec cette corde de nylon. « Les animaux aussi ont des droits, vous saurez ! »

Je dois retrouver le maître de cette bête au plus vite, je ne survivrai pas à toutes les attaques de ces défenseurs de droits. Tout le monde a des droits maintenant. Rectification, tout le monde revendique la suprématie de « ses » droits sur ceux des autres. Résultat, ce sont toujours les mêmes qui se tapent le sale boulot des devoirs.

Je ramène le chien en vitesse avant d'enfiler des escarpins, un sac de plastique à la main, prête à affronter mes devoirs dans le respect des droits de tous.

Trop tard, mon voisin comptable play-boy et géniteur de bébé hurleur a déjà marché dedans, et il s'agite avec des soubresauts d'électrocuté en jurant avec une belle verdeur.

Je glisse le sac de plastique dans ma poche, avec l'air léger de la fille qui savoure ce frais matin d'automne. Il y a une justice en ce bas monde. T'avais qu'à ne pas te transformer en bon gars pour une autre que moi, sombre crétin. Je quitte la scène de crime, réconciliée avec la vie, rassurée par ce retour de karma qui semble enfin favoriser une rétribution équitable des merdes de l'existence ; moi aussi, j'ai des droits.

Le lendemain, je pense quand même au sac de plastique. Et, pendant mon heure de dîner, je vais acheter une laisse. Un truc *cheap*. Ça ne vaut pas la peine de dépenser, je n'ai pas l'intention de garder la bête.

Au bureau, le marché mondial du bois canadien se jette sur moi avec la voracité d'un grizzly au printemps. Mon expédition chinoise a été concluante, je dois maintenant assurer le suivi de toute cette prospérité en marche. Résultat, je n'ai pas une minute pour rappeler les escouades animales censées me recommander la conduite à suivre quant au sort de la bête abandonnée.

À six heures, prise de panique à l'idée de la scène de destruction massive qui m'attend, je me dépêche de quitter le bureau, craignant que mon molosse se décide à déchirer les chairs de mon divan à pleins crocs.

Le divan est intact.

Et il le reste trois jours de suite. Pas un accroc, pas un dégât, seuls la serviette en boule sur le sol et les cliquetis des griffes sur le plancher quand je rentre m'indiquent la présence du chien.

Le mystère, ce sont les petites taches de sang sur le carrelage de la cuisine. Toujours pas de blessure apparente. Il saigne des gencives ou quoi? Est-ce que les chiens font de la gingivite? Au moment où je songe à téléphoner à mon dentiste pour m'informer, la bête frétille devant moi, son museau sous la ligne de la jupe de mon tailleur, tous ses muscles ondulant sous son pelage fin.

« Quoi, tu veux encore sortir? »

Le chien agite le petit bout rond qui lui sert de queue. Puis il s'assoit. Pour me prouver quoi? Qu'il est obéissant? Qu'il est content de me voir? Qu'il veut sortir? Comment suis-je censée savoir ce qu'il veut?

« Parle. »

Il aboie. Je recule. D'un bond.

En dehors du gémissement ténu de la première nuit, c'est la première fois que j'entends sa voix. Une grosse voix de baryton. Ce n'est pas menaçant, du moins je ne crois pas, mais le message est limpide, incontournable. Je. Suis. Là.

WOOF.

Je l'avoue, ça impressionne. Je devrais penser à m'en servir devant une assemblée du *boy's club*, quand ils font semblant de s'intéresser à mes projections financières pour mieux ignorer mes demandes de budget supplémentaire en développement.

Ma pensée va au soprano suraigu du bébé voisin et aux émois virils de Rosario. Si moi j'entends tout ce qui se passe à ma gauche et à ma droite, mes voisins sont aux premières loges en cas d'aboiements intempestifs. On n'est pas sortis du bois.

L'image du comptable play-boy essuyant ses chaussures de cuir frénétiquement me revient en tête. Merde. Au même moment, la plainte du bébé monte, dans un vibrato que n'aurait pas dédaigné Maria Callas.

Le chien tend l'oreille, aux aguets. Il me lance un regard dans lequel je crois lire de l'incrédulité et une détresse certaine. Qu'est-ce que ces cris qui vrillent les tympans ? Un renard pris au piège ? Un chat qu'on égorge ? Une séance de torture ?

Je hausse les épaules.

« Si je te dis que c'est une petite chose qui ne doit pas peser plus de dix livres, tu ne me croiras pas. C'est comme ça depuis qu'ils l'ont ramenée à la maison. Quand ça s'arrête, je ne peux pas m'empêcher de penser qu'ils en ont eu assez et qu'ils l'ont lancée par la fenêtre. »

Le chien semble peu impressionné par mes théories. Il a besoin de sortir.

« Donne-moi une minute, je change de chaussures. »

Je ne sais pas pourquoi je lui demande la permission ; ce n'est pas comme s'il était autonome et qu'il pouvait y aller sans moi. Sans moi, pas de sortie. Oui, mais si tu ne le sors pas, qui sait si la bête ne se transformera pas en monstre ?

Je dois y aller. D'accord. Mais pas dans mon tailleur de vice-présidente qui va vendre des tonnes de pâte de bois aux Chinois pour fabriquer des couches à un milliard de bébés. Je fouille dans mes placards.

Un constat s'impose, brutal. Je n'ai que du linge de madame. Des vêtements efficaces qui rendent justice à la productivité des masses et à la gloire entrepreneuriale. Des tailleurs-jupes, des tailleurs-pantalons, des tailleurs-robes, bref, des tailleurs, des vestes et des vestons. Tout en beige, blanc, marine, noir et camaïeu de gris. La reine du rock, c'est moi.

J'ai toujours pensé que je m'habillais avec classe et élégance. Aujourd'hui, je regarde tous ces vêtements comme s'ils appartenaient à une autre. Et cette autre, je la trouve moche, terne, rigide. En deuil depuis si longtemps déjà. Il ne me manquait qu'une mort tragique pour que mon cœur soit enfin au diapason de mes habits. David est mort, voilà l'ordre rétabli.

J'ai bien, ici et là, quelques trucs froufroutants destinés à séduire. Et la robe que j'avais achetée spécialement pour aller à la rencontre de David. Une exception émeraude dans un océan terne, comme une sorte de méduse phosphorescente. Je sais que je ne l'enfilerai plus, tant elle est pour toujours liée au malheur. J'ai voulu provoquer la vie, elle me l'a fait payer.

Je devrais jeter la robe. Immédiatement.

Je la laisse là, inerte et verte, et je continue mes fouilles en quête d'une tenue appropriée pour une promenade avec un chien trouvé.

Je finis par tomber sur une vieille paire de *runnings* du temps où je m'étais vaguement inscrite à un cours d'aérobie dans l'espoir de perdre du poids. Et puis, il y a eu une peine d'amour, je ne me souviens plus causée par qui, et je n'ai pas eu besoin de m'agiter pour maigrir. Le chagrin s'en est chargé.

Le trente-sept a beau être le nouveau vingt-cinq, avec le temps, même les peines d'amour ne suffisent plus pour me faire désenfler. Je vais devoir trouver autre chose.

J'enfile un survêtement qui me sert de pyjama et un vieux *hoodie* gris constellé de taches de peinture qui date de l'université, je lace les *runnings*. Voilà. Il ne me manque qu'un chien galeux pour ressembler à l'itinérante qui mendie sa vie sous le porche d'entrée de mon bureau du quartier des affaires.

« Chien ? »

Il arrive, cliquetant des griffes sur le parquet. Nous sommes prêts. Je sors avec lui, tête baissée sous le vent d'automne, en me disant qu'en cette soirée de semaine je ne risque pas de rencontrer quelqu'un que je connais.

C'était sous-estimer encore une fois le karma, cet enfoiré.

On ne sait jamais qui

À peine ai-je mis les pieds dehors que je tombe sur Rosario, sans son petit Français. Il me détaille des pieds à la tête, narquois.

« Je ne sais pas ce qui me traumatise le plus, me dit-il, le Brésil à fleur de langue, ta tenue ou le fait que tu aies ramené ce chien chez toi.

— Il faisait froid, et tu étais occupé avec ton... »

J'arrête. Je ne sais jamais comment nommer les hommes qui passent dans la vie de Rosario. Amis? Amants? Amours? Une sorte de mayonnaise des trois. Rosario traite tous les hommes qu'il rencontre comme s'ils étaient des princes l'espace d'une heure, d'une nuit ou de quelques jours, et à la seconde où son indépendance est compromise, il met fin à la liaison.

Toujours avec beaucoup de gentillesse. Jamais il ne les abandonne sur un trottoir après un souper marocain, par exemple. Non. Il achète des fleurs, commande du champagne, les embrasse langoureusement et dit « Merci beaucoup, ça a été un plaisir ».

Du coup, ils sont si désarçonnés par ce civisme insolite qu'ils en oublient de protester ou de lui en vouloir. Je ne sais pas comment il fait. Moi, dès que c'est un peu bon, je m'agrippe, j'imagine l'avenir et j'en veux plus. Lui, non.

«C'est le moment qui est bon, pas l'homme, me répète-t-il, exaspérant de légèreté.

— Tu vas finir ta vie tout seul, Rosario.»

Ça le fait rire chaque fois.

«Tout le monde finit sa vie tout seul, Julia.»

En attendant d'avoir le droit de rire de moi à nouveau, Rosario fait valser son regard entre moi et le chien, dans un ballet qui cherche à comprendre avant de se prononcer. Histoire d'éviter de parler trop vite, il se balance d'une jambe sur l'autre, haut sur pattes, dans un équilibre parfait. On dirait une girafe égarée en Amérique. Même par un soir gris de novembre, frileux dans son pardessus ouvert, il bouge avec une telle grâce que je ne sais jamais si je dois le filmer, l'applaudir ou pleurer parce qu'il n'aime que les hommes.

«Tu vas le garder? s'informe-t-il, curieux.

— Quoi? Qui? Le chien? Non, non, jamais de la vie. Je vais retrouver son maître, et…

— Son maître?»

Il hoche la tête avec le même air triste que lorsque je lui raconte que Pierre, Paul ou Francis m'a payé un verre et que c'est forcément un signe qu'il y a «affinités et plus».

«Julia.»

Je sais ce qu'il va me dire. Qu'il n'y a pas plus de maître qu'il n'y a d'affinités et plus. Ça m'est égal, je m'entête.

«Quoi?

— Si son maître voulait de lui, il ne l'aurait pas abandonné dans ta ruelle.»

J'élude. Il faut me reconnaître ça, j'élude aussi bien que je soigne mes plans d'affaires pour la pénétration du marché chinois : à la perfection.

« C'est aussi ta ruelle, je te ferai remarquer.

— Oui, mais moi je ne ramène pas de chiens trouvés.

— Tu ramènes des garçons trouvés. »

Un point pour Julia, qu'il me concède avec grâce. J'aime qu'on me concède la victoire et que les autres ne s'entêtent pas à avoir un avis différent. Ça me rassure.

« Les miens n'ont pas de corde au cou, et ils repartent au petit matin.

— Lui aussi va partir. J'ai appelé les refuges. Je n'ai qu'à aller le porter, ils vont s'occuper de lui trouver un foyer.

— Ou l'euthanasier. »

Ou l'euthanasier.

Oui. La mort est une option valable.

Dans ma tête, un court-circuit. Je pense à ma mère. Son agressivité. Sa dépression. Sa façon d'accrocher les objets, de renverser les plats, de se cogner sur les meubles. Quand le diagnostic est tombé, j'étais déjà partie de la maison. Chorée de Huntington. C'est héréditaire, c'est orphelin, ça détériore des nerfs et il n'y a rien à faire. Troubles moteurs et cognitifs, jusqu'à la perte de toute autonomie, jusqu'à la mort. Si la mort veut bien.

L'université avec ses exigences et les nuits à étudier et à fêter m'ont évité de me sentir coupable de laisser mon père seul avec ma mère. La culpabilité est revenue en force plus tard. Quand j'ai eu une « carrière » et que tous mes moments de loisirs ont été consacrés à n'importe quoi d'autre que d'aller les voir. Je n'ai aucun souvenir de ma mère autrement qu'agressive et amère, même toute jeune, même avant la maladie. Parfois, lubie ou besoin de prouver qu'elle était capable elle aussi d'embrasser la *dolce vita* si chère à papa, elle se teignait en blonde, elle dont la beauté de miel et la peau d'Indienne étaient faites pour rester ténébreuses, ou elle organisait une fête pour laquelle elle travaillait d'arrache-pied, finissant par fendre sous la pression de son irrépressible besoin de perfection.

Je me souviens de cette période où elle s'était mis en tête de devenir plus italienne que mon Lombard de père, parsemant sa conversation d'*amore*, de *cara mia* et autres *uomo del mio cuore*.

C'était affreux. Absurde. Une fausse note qui faisait mal au ventre de la voir forcer une joie de vivre qui n'existait que dans le désespoir de sa vie, et encore plus mal au ventre de voir mon père essayer d'y croire.

Je laisse l'italien de l'amour à ceux qui savent le chanter sans fausses notes, et je me contente d'un vocabulaire pratique : *spaguetti alla putanesca, pizza napolitana, fritto misto, vino bianco y parmiggiano per favore*.

De la même façon que la décoloration de ses cheveux ne trompait personne sur sa vraie nature de brune, les brefs moments où ma mère s'essayait à la légèreté ressemblaient à du mauvais théâtre. Étaient-ce les premiers signes de la maladie ou sa nature profonde ? Je ne le saurai jamais, mon père ayant jugé bon de mourir d'un infarctus salvateur juste au moment où l'état de ma mère s'est détérioré.

Heureux homme.

Aujourd'hui, ma mère ne maîtrise plus ses mouvements, sans cesse agitée de spasmes. Sa maladie est irréversible, et les dommages collatéraux, innombrables. Je n'en parle jamais. À qui? Et à quoi bon? Les gens ne comprennent pas. En fait, c'est pire: ils refusent d'entendre les hauts faits d'armes d'une dégénérescence comme la sienne, au cas où le malheur serait contagieux. Alors pour se convaincre qu'ils sont capables d'empathie, ils disent n'importe quoi, émettant des opinions sur des vies et des réalités dont ils ignorent tout.

Du coup, de ne pas avoir été *entendue*, la solitude est mille fois pire.

Les seuls qui ne disent pas de conneries sont ceux qui vivent la même chose que nous. Ils savent. Qu'on fait de notre mieux dans le pire. Ce qui implique parfois le pire dans nos comportements devant quelqu'un à qui on doit la vie, mais dont on souhaite la mort. De préférence un jour où on sera en voyage de l'autre côté du globe terrestre, hors de portée, intouchable.

Ma tante Cécile, la sœur de ma mère, s'occupe d'elle. Je ne sais pas comment elle fait. Ma mère crie beaucoup, violente. Les moments de répit sont rares. Cécile dit souvent qu'une bête qui souffre a de la chance, qu'on achève ses souffrances plus vite que celles de ma mère. Je suis d'accord avec ma tante. La souffrance est une porte verrouillée. L'euthanasie, c'est la clé de la serrure.

Le chien n'est pas ma mère. Il n'est pas condamné par la maladie de Huntington. Il ne souffre pas. Sa voix est stable et chaleureuse quand il aboie, il maîtrise ses quatre pattes et, surtout, il ne m'agresse pas.

«Julia ? »

Je lève la tête vers Rosario. J'ai encore oublié qu'il était là. Il me regarde d'un air préoccupé. Comme on regarde les fous.

« Ne me dis pas que tu crois que *ce* chien est responsable de la mort de David ? »

Je tombe des nues. Non, bien sûr que non. C'est impossible. L'accident a eu lieu à au moins sept cents kilomètres d'ici, jamais un chien n'aurait parcouru une si longue route. Surtout pas pour venir à la rencontre de celle qui lui en veut le plus.

« Je ne suis pas si ésotérique que ça quand même. »

Il pousse un soupir de soulagement. Venant d'un homme qui m'a déjà raconté que sa mère voue un culte aux dieux du candomblé, la religion des esclaves afro-brésiliens, et qu'il l'avait régulièrement vue en transe, c'est éloquent. Il veut bien me soutenir dans mon deuil, pas dans la folie.

« D'un autre côté, Rosario, je ne veux pas prendre de risques. »

Ça y est, il est de nouveau inquiet.

« De risques ?

— Oui. Je sais que tu vas penser que je suis folle, mais ce matin, je me suis dit que ce chien… Que, peut-être, c'était David qui… »

Il pose sa main brune sur ma bouche, l'œil impératif.

« Si tu le dis, je ne pourrai plus jamais faire semblant que je n'ai pas entendu, Julia. »

Je sais, Rosario. C'est difficile, voire impossible, de rencontrer quelqu'un qui soit capable d'entendre la folie de nos cœurs. Je comprends. Mais sous les assauts des émotions furibondes qui me secouent ces jours-ci, il arrive que mon cerveau cartésien baisse la garde. Quand je surprends le regard du chien posé sur moi, avec toute la sollicitude d'une maman gorille qui surveille son petit, il m'arrive de penser que c'est David. Avec des oreilles duveteuses, une truffe noire et des pattes qu'il agite comme s'il était un kangourou.

Bien. Il est temps d'agir avant que je fasse la bêtise d'avouer mes pensées impures à Rosario, qu'il alerte les autorités et qu'un camion blanc vienne me chercher pour me ligoter serré dans une camisole de force. «Je dois y aller, Rosario. C'est une bête féroce qui a besoin de dépenser son énergie, sinon, j'ai peur qu'elle m'attaque pendant la nuit.»

Je quitte mon ami d'un baiser qui n'appelle aucune réponse, la bête féroce trottinant à mes côtés. Nous marchons jusqu'à ce qu'elle s'arrête, tourne en rond, gratte le sol avec frénésie. Est-ce que j'ai vraiment cru que l'âme de David était dans cette bête au dos voûté et à l'air contrit qui fait ses petites affaires dans les feuilles mortes?

J'ai honte.

Honte d'avoir eu besoin de croire en la réincarnation de David dans cette pauvre bête, honte de ce chagrin grotesque qui me fait dérailler. Je suis une fille sérieuse, scientifique, mathématique. La Chine est un marché d'un milliard de couches en papier, directement de nos usines, pour chaque enfant qui naît, tous les jours, jusqu'à ce qu'il soit propre. En Chine, une civilisation millénaire, on mange les chiens. En Chine, les amants ne meurent pas dans la fleur de l'âge d'un surplus de sensibilité, mortel pour l'imbécile qui en est atteint. Si David avait été chinois, il n'aurait pas voulu éviter le chien, et nous serions en train de concevoir notre premier enfant en souhaitant que ce soit un garçon, parce que la vie est plus facile pour toute la famille quand c'est un garçon.

Mais nous sommes en Amérique, et l'Amérique souffre d'un surplus de sensibilité qui déborde comme une casserole de lait oubliée sur le feu. Pendant ce temps, le lait est gaspillé, les enfants ont faim, et les entreprises funéraires font fortune.

Ce sont des faits. J'aime les faits. Ils sont solides.

Je ne crois pas à la vie après la mort. Je n'ai été ni Marie-Antoinette, ni Cléopâtre, ni Jeanne d'Arc dans une vie antérieure, la résurrection du Christ est la plus grande arnaque du premier millénaire, et j'ai la ferme conviction que mon esprit, aussi dépourvu de jugement soit-il, n'est pas possédé par un animal totem. C'est aussi bien d'ailleurs ; connaissant ma chance, j'aurais hérité du castor, cette bête à queue plate et au charisme inexistant. Un bref instant, illusionnée par mon besoin d'amour, j'ai cru aux prédictions de pacotille d'une voyante marocaine et, à voir le résultat, j'aurais mieux fait de m'abstenir.

Je sors mon sac de plastique, fière représentante d'un civisme de bon aloi, je ramasse la crotte du chien, et je dépose le sac dans une poubelle municipale avec le sentiment du devoir accompli.

BRAVE JULIA

Nous croisons la dame au caniche, cintrée dans un imperméable Burberry, son chien tendrement protégé du vent froid par un petit manteau assorti. Elle me lance un regard courroucé, puis, constatant que la corde jaune a été remplacée par un collier et une laisse, me sourit avec la fierté d'une avocate qui a gagné sa cause. Je sens à son regard satisfait qu'elle se félicite de m'avoir sermonnée l'autre jour.

« Ce n'est pas moi qui lui avais mis une corde jaune autour du cou, vous savez. »

Les mots sont sortis tout seuls. Pas que j'aie quoi que ce soit à justifier, mais enfin, trop tard.

« C'est un chien que j'ai trouvé et il venait avec la corde. »

La dame marque un temps, me regardant dans les yeux pour la première fois. Des petites lunettes cerclées de métal doré encadrent des yeux clairs à qui il ne doit pas faire bon mentir. Le vent a déposé deux joues roses sur une de ces peaux de jeune fille anglaise et mis à mal une mise en plis que je devine pourtant soignée. Impossible de lui donner un âge.

« Trouvé ? répète-t-elle.

— Dans ma ruelle, la nuit.

— Je ne peux pas imaginer abandonner mon Victor », dit-elle en jetant un regard plein d'amour sur la petite chose blanche et frisée, ridicule si vous voulez mon avis, dans son manteau griffé.

Victor. En hommage au poète Victor Hugo, me dit-elle, de l'émotion plein la voix. Vraiment? Un trémolo pour un vieux bonhomme sévère à la barbe blanche qui avait la réputation de trousser les bonnes pendant que sa femme était dans la pièce d'à côté? La dame aux joues roses a un sourire rêveur.

« Ses lettres à Juliette Drouet sont magnifiques. Toutes les femmes rêvent de recevoir ce genre de lettres au moins une fois dans leur vie. »

Je n'ai pas lu les lettres. Je garde un souvenir pénible de la lecture obligatoire de Victor Hugo. Qu'est-ce que c'était déjà? Un truc pompeux qui parlait d'oiseaux en cage et de liberté. Je ne veux pas entendre parler d'amour en ce moment.

La dame au caniche s'agenouille devant ma bête féroce pour la caresser pendant que son Victor s'empresse de jouer au Sherlock Holmes de l'arrière-train en enfouissant une truffe humide et inquisitrice là où je préférerais qu'il ne la mette pas.

« C'est leur façon de socialiser », m'explique la dame, le plus sérieusement du monde.

J'ai des visions. Celles d'humains en train d'imiter l'espèce canine. Je ne sais pas si ce serait digne de notre civilisation, mais ça aurait certainement le mérite de couper court aux hypocrisies mondaines. Viens par ici que je te renifle le…

« On se demande vraiment qui peut avoir l'indécence d'abandonner une bête aussi magnifique. »

Oh, c'est de ma bête que parle la dame.

« Je ne sais pas. J'ai mis des annonces au cas où quelqu'un le chercherait. Personne n'a répondu. »

Son visage s'assombrit. Je ne voudrais pas être la personne qui a attaché le chien au poteau. Rien de plus violent que ces ardents défenseurs des animaux. Ils sont redoutables.

« Les gens sont irresponsables. Il a beaucoup de chance d'être tombé sur vous.

— Je ne crois pas pouvoir le garder. »

Erreur. Il ne fallait pas dire ça. Je m'empresse de balbutier la première excuse qui me passe par la tête.

« Je travaille beaucoup, il serait malheureux. »

Elle hoche la tête, me lance un regard très doux par-dessus la monture dorée de ses lunettes.

« Les boxers sont d'excellents chiens de famille, vous savez. »

De fam…? Il est temps de me remettre en marche.

Je me sauve, du pas rapide de celle qui sait où elle va, me retournant subrepticement pour voir si la maîtresse de Victor a disparu de mon champ de vision. Comme elle laisse son caniche renifler chaque buisson, chaque arbre et chaque poteau électrique, ils mettent un temps fou à se rendre jusqu'au coin de la rue. Je compte les secondes, au ralenti.

Enfin, ils disparaissent, au détour du grand orme.

Je vais rebrousser chemin pour rentrer – après tout, on est sortis pour faire la chose, elle est faite, on ne va pas s'éterniser –, mais le froid sec, les arbres qui se dépouillent en gémissant – érables argentés, chênes des marais, tilleuls, noisetiers de Byzance – et la présence rassurante du chien à mes côtés me poussent comme une main ferme au creux des reins.

Ou peut-être que c'est le vent qui me pousse. Ou ce poids lancinant dans la poitrine, une roche qui me plombe. Je crois que c'est David, lui qui habite ma poitrine depuis le moment de sa mort, et puis non.

C'est ma mère.

Je lui en veux d'être malade. Ce n'est pas sa faute, je le sais. Je lui en veux de vivre encore, de s'accrocher alors que d'autres meurent jeunes. Je lui en veux de m'avoir laissé si peu de souvenirs d'elle en paix. Une femme possédée par le ressentiment bien avant que la maladie se déclare, perdue à la cause du bonheur, de son propre chef. Je n'ai pas peur de la perdre, je l'ai perdue depuis dix-sept ans maintenant. Ce n'est pas le même chagrin que celui de la mort de David. Avec lui, la peine est pure, limpide et irrémédiable, à l'image de notre amour, toute simple.

Avec ma mère, rien n'est simple. Ce n'est pas Huntington. C'est Huntington sur une vie au goût de bile et de vinaigre. L'acide sur le métal corrodé.

Je ne suis pas porteuse du gène, j'ai échappé à la malédiction. Du moins, celle de la dégénérescence neurologique. Pour ce qui est de la vie de bile et de vinaigre, je suis en train de foncer tout droit dans le mur, et la perspective est effrayante, car je ne trouve pas les freins pour stopper l'engin destructeur. Je ne veux pas, je ne *peux* pas ressembler à ma mère.

Si je me mets à lui ressembler, qui trouvera la force de s'occuper d'elle avec patience et douceur quand Cécile explosera d'épuisement ?

Marche, ma fille, marche. Avance. Fuis. Oublie.

Le rythme de mes pas s'accorde à celui de la bête qui marche à mes côtés. Son souffle régulier m'apaise, présence fauve et silencieuse, compagnon de route.

Lorsque je m'arrête, la ville aussi s'est apaisée, libérée de la circulation du soir. C'est l'heure où les célibataires en mal de chaleur humaine demandent l'addition au restaurant, évaluant leur désir de partir avec cet homme, cette femme à qui ils ont désespérément accordé leur attention le temps d'une salade tiède de foie de volaille, d'un tian de légumes et d'une crème brûlée.

Depuis combien de temps sommes-nous en route, le chien et moi ? Je ne sais pas. Mais je lève la tête, stupéfaite, pour me rendre compte que mes pas m'ont menée devant le restaurant marocain.

L'endroit même où une voyante en quête de crédulité m'a prédit gloire et fortune.

Et le trottoir où Francis m'a quittée, larguée comme un chien.

FRANCIS

Ils sortent du restaurant. Amoureux, légers, enlacés.

Elle est plus belle que sur les photos, fine et racée comme seules les vraies brunes peuvent l'être, celles qui ne se décolorent pas les cheveux en jaune dans l'espoir de faire croire qu'elles sont blondes. D'où je suis, je vois son profil délicat, sa peau mate, ses longs cheveux qui se balancent jusqu'à ses reins; j'entends sa voix toute en intonations chaleureuses, les cascades de son rire, cette sorte de rire singulier qu'on n'a que pour taquiner les gens qu'on aime vraiment.

Sa beauté me fascine, comme une réponse à toutes les questions que je me suis posées sur le fait que Francis n'a pas voulu de moi. La compétition était inégale, faussée d'avance. Je n'avais aucune chance.

Étrangement, c'est un soulagement.

Le seul mouvement de Francis pour l'enlacer plus étroitement, sa main qui glisse de sa taille à ses hanches pour mieux la ramener plus près de lui, me dit qu'il est amoureux. Éperdument amoureux. Ça, par contre, c'est un poignard au cœur.

Je ne veux pas le voir, je ne veux pas être là, je dois m'en aller avant que nos regards se croisent et que son visage de «Francis pas amoureux de moi» tente de se composer une façade de circonstance.

Ce serait au-dessus de mes forces.

En trois secondes, la bête et moi sommes cachées dans la ruelle, dissimulées derrière une poubelle. Décidément, il faut croire que mon destin a élu domicile en coulisses, que l'essentiel de ma vie se passe dans les ruelles, dans l'ombre de la lumière des rues, comme cette amie timide que personne ne remarque parce que sa *best* prend toute la place. Je vais finir par les aimer, ces allées secrètes, par m'y trouver chez moi. Une ruelle, c'est la version non officielle de l'histoire. Le *fringe*. Le *off*-Broadway. L'endroit où on laisse tomber le spectacle, le théâtre et les applaudissements. Dans les ruelles, le maquillage coule, les femmes embrassent des hommes qui ne sont pas leur mari, et des chiens sont abandonnés.

J'ai vécu ma vie en représentation. Pour qui ? Les autres. Et ils sont où, les autres, quand tu morves tes défaites, roulée en boule dans une ruelle ? Nulle part.

Accroupie sur le sol, la tête entre les genoux, je sens une langue lécher mes larmes qui coulent en torrents et en rigoles de sel. Le chien. Je pose ma main sur son cou puissant, le nez dans son oreille, la joue nettoyée du chagrin par un énorme truc rose, parfumée par une haleine de sauce Alfredo.

Je n'ai pas pleuré David, je pleure Francis. C'est ce que j'appelle avoir mes priorités au bon endroit.

Le bruit d'une porte, une voix frêle. Merde, nous sommes débusquées.

« Vous avez besoin d'aide ? »

Le chien et moi, on lève les yeux en même temps. Les mains sur les hanches, l'air soucieux, une gamine asiatique fronce les sourcils devant notre duo misérable. Pendant que je me mouche dans le kleenex qu'elle me tend, je me dis que quelque chose cloche chez cette enfant à la frange lustrée comme un miroir tout droit sortie d'un manga. La sévérité de son regard? Les clés de BMW qu'elle tient à la main?

Miss Manga s'agenouille devant le chien, dont la tête est quasi plus grosse que la sienne, et d'un geste ferme lui ouvre la gueule, examine sa dentition, caresse un derrière d'oreille, passe sa main menue sur le flanc de la bête, sur son ventre. Et se tourne vers moi, le sourcil parfaitement épilé et accusateur.

« Cette chienne est beaucoup trop jeune pour avoir eu une portée. Où sont les bébés?

— Les bébés?! C'est un chien, dis-je, avec l'intonation d'une demeurée.

— Non, c'est une chienne. Qui vient d'accoucher. Il y a deux ou trois semaines, je dirais, ses tétines sont enflées. Vu l'état de sa dentition, je dirais aussi qu'elle a un an, pas plus, ce qui est trop jeune pour lui faire avoir une portée. »

Tout s'explique. Les taches de sang sur le carrelage. Le fait qu'elle s'accroupisse plutôt que de lever la patte. Mais oui. Évidemment.

Je suis sonnée, sous le coup de ce qui relève d'un manque flagrant d'observation qui frôle l'autisme. Comment ai-je pu être aussi stupide? « Pense à regarder la route », m'avait dit Rosario au moment où j'allais partir rejoindre David et être heureuse jusqu'à la fin des temps.

Pense à regarder la route.

Qu'est-ce qu'il y a donc tant à regarder sur cette foutue route ? Comment est-ce que je peux seulement imaginer regarder la route alors que je suis incapable de *voir* que le chien que j'héberge chez moi depuis trois jours est une chienne ?

« Le miracle, c'est de l'avoir vue dans la ruelle », me chuchote David à l'oreille. Sa voix est chaude, si proche, si aimante que le souffle me manque.

David, tais-toi ! Je t'en prie, tais-toi. Laisse-moi encore sous anesthésie, c'est si bon de ne rien sentir, encore un peu, encore un moment, je ne suis pas prête.

Trop tard. Je suis en salle de réveil, c'est une ruelle. Tous mes organes fonctionnent, mon cœur pompe tout ce qu'il peut de douleur contenue, prêt à exploser, mon sang me brûle les veines et me chauffe la peau, je recouvre la vue et j'entends des voix.

Enfin, une voix. Celle d'un mort, qui se manifeste pour rire et se foutre de ma gueule, de ce rire affectueux qu'on n'a que pour ceux qu'on aime : « Julia, Julia, si le chien est une chienne, ça ne peut pas être moi, je veux bien me réincarner en animal, mais je refuse de changer de sexe. »

Mais alors, David, si ce n'est pas ton âme réincarnée dans ce quadrupède qui lèche mes larmes avec une haleine fétide, *qui* est dans ce chien ?

« Vous êtes sa maîtresse ? me demande Miss Manga.

— Sa maîtresse ? »

Je mets plusieurs secondes avant de comprendre que la gamine me parle du chien, pas de David.

« Non. Oui. Je ne sais pas.

— Il est à vous ou pas ?

— Je l'ai trouvé. Je le garde en attendant, jusqu'à ce que je retrouve ses maîtres. J'ai mis des affiches. J'ai appelé les centres pour animaux errants.»

Juste au circonflexe de ses sourcils, je sais qu'elle ne me croit pas. Je dois avoir une tête d'irresponsable. La fille qui espère que sa mère meure pendant un voyage d'affaires, celle qui n'a pas fait opérer son chien et qui raconte des mensonges pour s'en tirer, même combat.

Miss Manga insiste, elle connaît déjà la réponse.

«Quelqu'un s'est manifesté?»

Je lève les yeux vers elle, tout aussi lasse. Elle hoche la tête. Dans son imper rouge lustré, on dirait Lolita, version vietnamienne.

«Avez-vous un endroit pour dormir quand il fait froid? Les boxers n'ont pas de protection contre le froid, leur poil est trop court.»

Elle a devant elle une fille défaite, échevelée dans son sweat gris et recroquevillée derrière une poubelle; elle me prend pour une itinérante. Tout de suite sur la défensive, j'ai envie de lui balancer mon train de vie au visage: les voyages en classe affaires, le poste prestigieux, les impôts démesurés. Je n'en peux plus d'être accusée alors que je m'efforce de rendre service à cet animal qui pue, qui fait pitié et qui n'est même pas foutu d'être un mâle qui saurait me défendre.

«J'ai un appartement. Avec du chauffage, elle couche sur une couverture en polar.»

Elle laisse échapper un soupir de soulagement. Léger, à peine perceptible, mais il est là, je vois la buée.

«Elle a vu un vétérinaire? me demande-t-elle.

— Je ne savais pas qu'il fallait que je la fasse examiner.

— Ce serait une bonne chose. Une chienne qui a des bébés avant la fin de sa croissance peut souffrir de carences.»

Il fallait que je tombe sur une chienne qui s'est fait engrosser comme une adolescente imprudente. Comment la Lolita des mangas peut-elle savoir tout ça? Elle doit être plus intelligente que les autres filles de son âge. Ou alors plus dévergondée.

La gamine flatte de nouveau la tête de la chienne puis range ses clés dans son sac et me tend la main pour m'aider à me relever.

«Venez, je vais vous passer tout de suite.»

La chienne et moi, on la suit sans poser de questions, avec la docilité des bêtes dont personne ne veut.

Nous venons de remettre notre sort entre les mains expertes de Véronika Vo, vétérinaire trentenaire et digne propriétaire de la voiture de luxe qui venait avec le trousseau de clés. Malgré son allure de nymphette fatale, Miss Vo est devenue l'amie des bêtes non par vocation, mais parce que ses parents prévoyants s'étaient dit qu'il y avait une fortune à faire avec la solitude des milliers d'âmes en peine qui ont un animal pour toute compagnie.

Les Vo ont eu tort. En ajoutant le manque de loyauté des relations humaines, nous sommes des millions.

RÉALITÉS

Sur la table d'examen de la clinique déserte, le verdict est tombé. Vulve tuméfiée. Je suis en état de choc. La crudité de l'expression. Le choc des images. *Paris Match* peut aller se rhabiller, ma chienne a la vulve tuméfiée.

Trop de bébés trop jeune, voilà ce que ça donne de laisser une chienne adolescente fréquenter des voyous irresponsables. Où sont les bébés? Sans doute noyés, ou alors engraissés au biberon pour être vendus plus vite, me répond la vétérinaire. L'accouchement date de peu, la chienne n'a pas eu le temps de les sevrer.

Pendant quelques secondes, j'éprouve un sentiment qui m'était jusqu'alors inconnu. Une sorte de déchirure au ventre. Si j'avais devant moi le sombre crétin qui a abandonné une fille-mère dans ma ruelle un soir de grand froid, je ne répondrais pas de mes actes.

Véronika Vo palpe, tâte et examine la jeune mère, soucieuse.

«Je la trouve maigre.

— Vous auriez dû la voir quand je l'ai trouvée. On ne voyait que ses côtes.

— Vous l'avez nourrie avec quoi?»

Je baisse la tête, coupable.

«Des pâtes et du tartare de saumon.

— Des pâtes ?

— Fettuccine Alfredo. Elle aime ça avec beaucoup de parmesan. Pour le tartare, je ne lui mets pas de câpres ni d'oignon. J'ai lu sur Internet qu'il ne fallait pas leur donner d'oignons.»

Miss Vo sourit.

«C'est visiblement mieux que ce qu'elle mangeait avant. Mais vous ne pouvez pas la nourrir seulement de tartare de saumon et de fettuccine Alfredo, même avec beaucoup de parmesan.»

Je me retiens de lui dire que c'est l'essentiel de mon menu, trois cent soixante-quatre jours par année. Le reste du temps, je mange de la dinde et des atocas.

«C'est mauvais pour elle, c'est ça ?

— C'est surtout très cher. Venez, on va la peser.»

Nous traversons la clinique plongée dans l'obscurité. Quelque part, un chat miaule, langoureux et roucoulant, comme un appel à l'amour. La chienne s'arrête, levant une oreille attentive, aux aguets. Miss Vo se tourne vers la chienne.

«Je te pèse, et ensuite on va voir le chat, d'accord?»

Pour une raison qui m'échappe complètement, la bête suit la vétérinaire sans poser de questions. D'accord.

Pour une raison qui m'échappe encore plus, une fois devant la balance, une sorte de plaque qui bouge quand la bête monte dessus, la chienne panique et refuse d'y rester ne serait-ce que cinq secondes, soit le temps nécessaire pour mettre un chiffre sur ses formes rachitiques.

Miss Vo se tourne vers moi, très calme.

«Bien. Vous allez monter sur la balance avec elle, et je vais tout simplement soustraire votre poids de l'équation.»

Soustraire mon poids de l'équation. Voilà une idée désastreuse. Je vis dans le déni depuis des mois, soyons francs, des années. Il est hors de question que je sache combien je pèse.

Me voilà quand même sur la balance, tournant le dos au cadran lumineux qui annonce les kilos en rouge, espérant que la bête refuse de monter.

Mais non, la maudite, la voilà qui se blottit contre moi, m'obligeant à la prendre dans mes bras si nous voulons tenir toutes les deux sur cette foutue balance. Miss Vo prend en note un chiffre que je ne révélerai pas. Mais le découragement est là, omniprésent au point que je me console à la pensée qu'au moins David n'a pas eu le temps de me voir en chair et pas en os.

Tout ça pour apprendre ce qu'on savait déjà: la chienne est trop maigre.

Miss Vo me parle de suppléments, de nourriture spéciale et d'hystérectomie. Elle veut ouvrir un dossier.

Un dossier? Avec mon nom dessus? Affolement.

«Oui, répond-elle en levant les yeux au ciel. Comme ça, nous avons tous les renseignements sur sa santé au même endroit.»

Soit elle me prend pour une demeurée, soit elle fait exprès pour jouer les innocentes et me forcer la main. Mais je ne suis pas prête à m'engager. C'est trop tôt.

«Écoutez, ça fait trois jours qu'on se connaît, ce n'est pas mon chien.

— Les boxers sont d'excellents chiens de famille.

— Je n'ai pas de famille.»

Elle hoche la tête.

«Les boxers sont d'excellents chiens même sans famille.

— Je voyage beaucoup pour mon travail.

— Nous avons un service de chenil. Les chiens vont au parc deux fois par jour, ils sont bien nourris et les cages sont grandes.

— Les cages?

— Pour la nuit, oui.»

La vision de la chienne seule dans une cage au milieu de la clinique déserte me perturbe. C'est un chien, Julia. Juste un chien. En Chine, ils les...

«Au parc, vous dites?

— Deux fois par jour. Comme les humains, les chiens ont besoin d'exercice.»

Elle s'interrompt, hésite puis plonge, dans un accès de franchise qu'elle regrette déjà, je le sens.

«Surtout les boxers.»

Je vais aussi le regretter, mais je pose quand même la question:

«Plus que les autres races?»

Elle me balance un sourire enjôleur, l'hypocrite. Elle tente de minimiser, comme quand le dentiste cherche à vous convaincre qu'il est impératif d'ouvrir dans votre bouche un chantier digne de fouilles archéologiques pour un tombeau royal égyptien.

«J'ai déjà un dentiste: je vous en prie, ne me ménagez pas.»

Véronika opine du menton. Son frère est dentiste. Apparemment, il y a encore plus d'argent à faire avec la bouche des gens qu'avec leur solitude. Le *jackpot* étant évidemment la bonne poire qui souffre à la fois de solitude et d'une mauvaise dentition.

« Ce sont des chiens enthousiastes et énergiques, des athlètes. Un boxer qui ne bouge pas est un boxer malheureux. D'un autre côté, avoir un boxer, c'est devenir soi-même un athlète. »

J'admire son dévouement pour la cause animale.

« Est-ce qu'ils ont des problèmes de dentition ? »

Sa perplexité ne dure que quelques secondes. Elle suit très bien mon raisonnement. Une fille brillante.

« Non. Ce sont les petits chiens qui ont des problèmes de tartre. Les boxers ont une excellente dentition. »

Elle m'en fait la démonstration en ouvrant grand la gueule de la chienne. Une mâchoire impressionnante, des dents étincelantes de blancheur. Et de minuscules mains de Lolita vietnamienne à l'intérieur de ce piège à ours. Décidément, Véronika Vo n'a peur de rien.

« Vous avez un nom d'héroïne de Marvel Comic Books.

— Vous trouvez ? »

Elle semble ravie du compliment.

« J'ai toujours rêvé de faire partie des Avengers.

— Vous n'avez jamais peur ?

— D'un animal ? Oui, bien sûr. »

Elle relève la manche de son cardigan, me montre la cicatrice d'une lacération profonde.

« C'était un lynx pendant mon stage au zoo de Berlin. J'ai eu peur, il l'a senti, il m'a attaquée. »

J'attends la suite, tétanisée. Mais elle est trop occupée à vérifier que les ongles de la chienne sont en bon état.

«Et ça ne vous a pas empêché de continuer.»

Elle relève la tête et m'adresse un sourire d'enfant.

«Une vie dominée par la peur, ce n'est pas une vie.»

Non. Ce n'est pas une vie. Mais alors, que sont mes jours et mes années? Une salle d'attente? La carlingue d'un avion dont je ne saute jamais? Un paquebot à la dérive?

Mon Avenger prend ma main et, d'office, la rentre dans la gueule du chien. Je n'ai pas le temps d'avoir peur, mes doigts sont déjà pleins de bave, et la chienne a l'air aussi étonnée que moi. Qu'est-ce que tu fais sur mes gencives, toi?

«C'est comme ça qu'il faut faire. Doux. Ferme.»

Je n'ose pas lui demander pour quelle raison obscure je pourrais avoir envie de fouiller la gueule d'un chien, mais je retiens le «doux» et le «ferme». Ça aussi, ça pourrait fonctionner dans mes rencontres avec le conseil d'administration. Chaque fois que j'ai du mal à les convaincre de l'excellence d'une de mes idées, c'est que je manque de douceur et de fermeté.

Miss Vo me tend un papier pour m'essuyer la main.

«À l'origine, c'étaient des molosses dressés pour le combat. Ils peuvent être d'une férocité redoutable si leur famille ou leur maître est attaqué.»

Une chienne féroce. J'imagine déjà les poursuites judiciaires pour jarrets déchiquetés. Non, vraiment, je ne…

«Mais, en général, ils sont très doux, s'empresse-t-elle d'ajouter, affichant le même sourire trompeur que mes directeurs d'usine chinois quand ils essaient de me leurrer sur les excellentes conditions de travail de leurs ouvriers.

— En général, dis-je, dubitative.

— Ça dépend toujours des maîtres, évidemment, me répond-elle, battant des cils en vraie femme fatale.

— Je ne suis déjà pas digne d'être une maîtresse convenable, alors un maître…»

Miss Vo semble au-dessus de mes tentatives de détournement.

«Ce sont des chiens particulièrement intelligents à qui on peut enseigner plein de choses.»

J'ai en tête des images de pantoufles à carreaux et de journal déposés aux pieds. Des images de vieux garçon grincheux et de chien au regard mélancolique.

«Aller chercher mes pantoufles? Je n'en porte pas.»

Aucune de mes objections ne la rebute. Aucune. Cette poupée délicate aux lèvres carminées est une brute. Zut.

«Une fois qu'ils se sont attachés à leur maître, les boxers sont d'une loyauté sans faille. À la vie, à la mort.

— Je ne…»

À mes côtés, la chienne se raidit, agitée d'un long frémissement, tous les sens en alerte. Je me retourne pour voir ce qui attire son attention et, dans la pénombre, sous le rai de lumière de la veilleuse de nuit, je le vois.

C'est un chat.

Un siamois. Sous son poil terne, une énorme bosse – une tumeur, sans doute – déforme son cou, et son corps frêle, amaigri par la maladie, peine à avancer vers nous. De sa gorge s'échappent des roucoulements légers, soyeux. La chienne est tout entière tendue vers lui, à l'affût. Elle n'attend qu'une chose, que je relâche la laisse pour lui sauter dessus. Féroce, a dit Miss Vo.

La main menue de la vétérinaire se pose sur mon bras.

«Laissez-la.

— Mais…»

Elle me regarde, les yeux brillants. Elle a quitté son masque de superhéroïne stoïque, m'offrant un visage vulnérable comme celui d'une femme qui vient de se démaquiller pour la première fois devant son amant.

«C'est Zéphyr», me dit-elle, comme si ça expliquait tout.

Elle me prend la laisse des mains et la relâche. Le boxer, chien de combat capable de la plus grande férocité, est maintenant libre d'aller croquer un pauvre vieux chat malade et frêle dont il ne fera qu'une bouchée d'un seul élan de mâchoire.

Mais le chat s'approche, sans peur, et d'un coup de tête fragile vient se frotter contre la gueule de la chienne. Qui se couche aussitôt pour laisser le félin se lover entre ses pattes, contre son torse puissant, avant de lécher sa bosse de longs et minutieux coups de langue, le lustrant de salive.

Le vieux chat ronronne, à l'abri de la mort qui rôde.

Miss Vo et moi restons ainsi accroupies de longues minutes sur le plancher de la clinique, incapables de briser leur étreinte, suspendues à ce moment d'amitié entre une jeune chienne à qui on a enlevé ses chiots et un vieux chat à qui on n'a pas pu enlever sa tumeur.

J'ai toujours cru que je n'arrivais pas à aller voir ma mère parce que j'avais du mal à supporter ses comportements agressifs.

La vérité, c'est que je n'arrive pas à aller voir ma mère de peur de l'aimer avant qu'elle meure.

Si ça se trouve, elle n'a pas besoin de mon amour, seulement que je la prenne contre mon cœur qui bat et que je la mette, l'espace d'un instant, à l'abri de la mort.

LA PLUIE

En sortant de chez Miss Vo, à qui j'ai fait la promesse de revenir payer l'examen, les vaccins et les suppléments vitaminiques destinés à redonner toute sa vigueur à une jeune chienne énergique et athlétique, il pleut à boire debout.

Une pluie d'automne, drue et froide. Qui fouette le visage et transperce jusqu'aux os. Sous l'auvent de la clinique, j'hésite à me lancer. Je n'ai pas d'imperméable, pas d'argent, pas de gants. Tout ce que j'ai, c'est une chienne trop maigre et pourvue d'une excellente dentition qui plisse les yeux d'un air irrité.

« Qu'est-ce qu'on fait, fille ? »

J'ai parlé tout haut. Comme si elle allait me répondre. Cette fois, ça y est, je suis qualifiée pour entrer dans la catégorie « cinglée qui parle toute seule ». Pendant quelques secondes, transie et fatiguée, je mesure la fragilité du mur qui me sépare de la rue, de l'itinérance, de la vague de fond. Je pourrais être cette fille à la dérive, seule avec son animal, sans argent, sans recours, sans toit.

Un frisson qui ne doit rien à l'humidité me traverse comme un éclair froid qui irradie jusqu'au plexus. Il suffit de si peu de choses pour que l'abîme soit tout à coup notre seul compagnon.

Une voiture de patrouille s'arrête devant moi. C'est affreux, il n'y a rien comme un policier qui baisse sa glace pour se sentir instantanément coupable. D'une énorme main velue, il désigne le chien.

« C'est un pit-bull ? »

Un autre ami des animaux. Ils se sont tous ligués contre moi, lui, Miss Vo, le siamois et la dame au caniche.

« C'est un boxer. Une, en fait.

— Hun, hun. Ça lui prend une médaille à ton chien. »

Une médaille ? J'ai des images, celle d'une chienne à qui on décerne l'or tandis que l'hymne national retentit dans le stade et que la foule se recueille, émue. Je n'ai pas mangé depuis ce matin, je délire.

« Règlement C-10. Un chien, une médaille.

— Ah ! Heu… excusez-moi, je ne savais pas. On trouve ça où ?

— À ton bureau d'arrondissement.

— C'est cher ?

— Vingt-cinq piasses. »

Magnifique arnaque, l'amour des animaux. Il m'adresse un sourire qui ressemble à s'y méprendre à une menace.

« Cent piasses d'amende si je vous repogne sans, toi pis ton chien. »

Tu, ton, toi, et je ne vous parle pas de sa syntaxe déficiente. Depuis quand les policiers tutoient les gens ? Depuis qu'ils te prennent pour une fille sans espoir et sans pouvoir, et pas pour la vice-présidente au développement des affaires d'une multinationale de pâtes et papiers. C'est ça, les flics. Ils jugent à l'uniforme. T'as intérêt à porter celui qui te vaudra un «vous» si tu veux pas te faire embarquer pour un collier pas de médaille.

Moi aussi, je juge les gens à leur uniforme. Tout le temps. Au bureau, au restaurant, dans l'avion, en promenant le chien. La dame au Burberry amoureuse de Victor Hugo, c'est une vieille fille qui écrit à la rédaction de son journal pour dire qu'il y avait une faute d'orthographe dans le dernier texte de son chroniqueur préféré, non ? Tout le monde juge à l'uniforme. Le policier m'a prise pour une pauvre tarte, un peu *loser*, un peu pathétique, qui tente d'esquiver l'achat d'une médaille pour son chien. Et l'itinérant qui mendie sous le porche du gratte-ciel de mon bureau, quand il lève les yeux sur mon tailleur Donna Karan, il me prend pour une bourgeoise capitaliste qui vend son âme au diable.

Et c'est ainsi que nous voilà tous réconfortés dans nos préjugés, qui dans sa méfiance, qui dans sa haine, qui dans son mépris. La terre peut continuer de tourner, tout le monde est content, tout le monde est servi.

Courage, fuyons.

DÉCLIC

La chienne et moi, on a couru jusqu'à la maison. Ou plutôt, elle a couru jusqu'à la maison, me traînant derrière elle comme un boulet. L'épaule déboîtée, le cœur affolé, les poumons en feu, un râle rauque s'échappant de ma gorge chaque fois que je n'en pouvais plus, pliée en deux par l'indigence de mon souffle et la rébellion de mes muscles en furie.

Nous sommes arrivées trempées, en sueur et affamées. Dans l'ascenseur, nous dégouttons dans un bel ensemble. Une mare d'eau et de boue. Et je ne vous parle pas de l'odeur.

Au moment où les portes vont se fermer, la poussette du bébé de mon voisin le *bad boy* comptable fait son entrée. Poussée par le géniteur. Celui-là même qui a mis le cuir de ses chaussures italiennes dans la merde canine il y a trois jours. Les portes se ferment sur nous. Lui, sa môme, la chienne et moi.

Ça sent le chien mouillé et la couche souillée.

Mon voisin essuie ostensiblement sa chaussure sur le plancher de l'ascenseur. Il n'y a rien dessus, évidemment. C'est juste pour me faire comprendre que les cadeaux oubliés, c'est tolérance zéro. Je détourne les yeux avec courage. Non, je ne te ferai pas le plaisir de reconnaître que j'ai eu tort de ne pas avoir prévu de sac de plastique. Je suis néophyte en chien, j'ai droit à l'erreur, comme tout le monde.

Il se racle la gorge. Il va me parler, c'est clair qu'il va parler. Il va même m'engueuler.

Par la grâce des dieux, sa petite, une minuscule chose emmitouflée dans un truc couleur rose cupcake, se met à hurler avec un vibrato à défoncer les tympans d'un adepte de musique heavy métal. La chienne tend une truffe intéressée en direction du haut-parleur sans dents. Elle tire sur la laisse, je réplique avec plus de force. Non, fille, tu n'iras pas rajouter à mes ennuis en croquant du bébé, aussi insupportable soit-il. Sous les cernes qui affichent ses nuits blanches, le comptable arbore l'expression que doivent faire ses clients quand il leur annonce ce qu'ils doivent à l'impôt. Un mélange de panique et de douloureuse crispation. La paternité ne fait pas que des heureux.

Je tente de retenir un sourire de toutes mes forces. Impossible. Égalité, mon vieux. Ton bipède qui hurle sa vie, mon quadrupède qui souille le plancher, même combat. Peu importent les reproches que nous pourrions nous faire, nous sommes vaincus. À chacun sa croix.

J'ai l'avantage du terrain puisque je ne garderai pas l'animal, alors que, toi, tu es coincé avec le cupcake hurlant pour les vingt prochaines années.

Les cloisons de l'ascenseur s'ouvrent enfin, nous libérant de nos parfums mutuels et de nos obligations de civisme.

Au chaud, à l'abri du monde derrière la barricade de ma porte close, savonnées, rincées, épongées, nous

nous effondrons, moi sur le divan, la chienne à mes pieds, dans une sorte de torpeur qui me rappelle mes retours de voyage de ski d'adolescente.

Un coup à la porte fait japper la chienne. Un aboiement bref et sourd, juste assez pour signifier à l'intrus qu'il dérange. À la vie, à la mort, a dit Miss Vo. Je commence à comprendre les avantages d'être protégée par un garde du corps. D'un autre côté, et c'est embêtant, l'inconnu qui frappe sait maintenant qu'il y a quelqu'un à la maison.

Dans l'œilleton, la belle gueule de Rosario.

DÉNI

D'un seul coup d'œil, Rosario analyse la scène, goguenard. Deux filles au poil hirsute, ébouriffées par une
serviette vigoureuse, l'œil fatigué et le muscle endolori
(enfin, moi). Il désigne la chienne.

« Tu vas le porter quand ?

— Dès que la vétérinaire lui trouve une famille. »

Je mens. À tout le moins, j'embellis. Manga Girl n'a
jamais dit qu'elle trouverait une famille à ma fille-mère.
Mais je vais lui demander de chercher. La prochaine
fois. Il faut que j'y retourne pour la payer, et aussi pour
l'hystérectomie de la chienne. Pas question de la laisser
avoir une autre portée de chiots qui seront séparés de
leur mère à la naissance.

« Pourquoi une famille ? me demande Rosario.

— Parce que les boxers sont d'excellents chiens de
famille. »

On voit que j'ai bien retenu la leçon de Miss Vo sur
les particularités de la race.

« Et si tu n'as pas de famille ?

— Quoi, si tu n'as pas de famille ? »

Il m'énerve.

« Ça prend absolument une famille pour que ce
chien soit bon ? »

Il dit *oune*. Ça me fait rire chaque fois, je ne le lui
dis pas, j'ai peur de le vexer.

«Sinon quoi, le chien devient mauvais faute de famille?»

Il m'énerve.

«Je n'en sais rien, Rosario! Tu parles d'une question!

— C'est une question valable, je trouve.»

Encore ce *oune*.

«Pourquoi tu ris? Tu te fous de ma gueule ou c'est encore une tentative de diversion?»

Oh, une tentative de diversion, il n'y a pas de doute. Et je me fous un peu de sa gueule aussi, il va sans dire. Rosario agite les mains, comme chaque fois qu'il se met en émoi, ce qui arrive rarement. Mais là, ce soir, à propos de ce chien qui serait bon seulement s'il était «en famille», oui, il s'énerve. Normalement, je m'énerverais avec lui, solidaire de son indignation, mais la course sous la pluie m'a claquée.

«Pourquoi tu fais ta *drama queen*, Rosario? Elle a seulement dit que c'était un bon chien de famille.

— Qu'est-ce qu'on fait, nous autres, les célibataires, les sans-enfants, les expatriés, les solitaires, ceux qui n'emmènent personne dans leur famille parce que ce serait un drame et qu'ils seraient répudiés pour toujours? On est une catégorie de citoyens qui ne méritent pas d'avoir un bon chien? On a droit seulement aux chiens méchants?»

Sous la tirade, l'écho d'une mélancolie sourde que je ne lui ai jamais entendue.

«Tu veux emmener quelqu'un à Rio Bahia?»

Rio Bahia, c'est dans sa famille. C'est la première fois qu'il me parle de la possibilité d'y aller avec quelqu'un. Il hausse les épaules.

«Non. Mais si je voulais, ce serait chiant.

— Tu serais répudié?

— Malheureusement, non.

— Tu voudrais que ton père et ta mère ne te parlent plus?

— Ce serait moins bruyant! Là, si je ramène un mec à la maison, mon père va feindre la crise cardiaque, ma mère va pleurer, mon frère va vouloir se battre, ma sœur va me sermonner parce que je fais de la peine à ma mère, et le mari de ma sœur va me traîner aux putes.»

Vive la famille. À mes pieds, le chien, même mouillé, me semble une compagnie reposante tout à coup. Pas de question, pas de chantage, pas de condition, surtout pas humaine. Un halètement tranquille, apaisé par la chaleur de l'appartement.

«Tu vas le garder, dit-il, résigné.

— La, pas le. C'est une fille. Même qu'elle a eu des chiots, et on ne sait pas où ils sont.

— Tu veux dire une femelle.

— C'est pareil.»

Rosario hoche la tête.

«Tu vas la garder.»

Ce n'est pas une question. Je m'enfonce tout de même dans ce déni magnifique qui est le mien.

«Bien sûr que non.

— C'est fou.

— Qu'est-ce qui est fou?

— Ton entêtement dans la mauvaise foi. Je n'ai jamais vu quelqu'un s'entêter si fort à nier les évidences. Je ne vois pas comment tu pourras rencontrer l'amour un jour.»

Si je n'étais pas si fatiguée, sa remarque me ferait de la peine, mais là je n'ai pas l'énergie d'avoir du chagrin, et ce n'est pas désagréable. Tel Néron dans la Rome en feu, je lève une main molle, désignant Rosario à la chienne :

« Fille, attaque. »

Elle se dirige vers Rosario, cliquetant des ongles comme une danseuse de flamenco qui prend son envol. D'une seule caresse de ses longs doigts bronzés, il la fait sienne, comme s'ils s'étaient toujours connus. Le salaud. Elle se laisse caresser, sans même chercher à se faire désirer une fraction de seconde. Pas étonnant qu'elle soit tombée enceinte si jeune, elle n'a aucune retenue. La voilà qui offre son ventre à la peau de soie fine à la main experte de Rosario. Cette chienne devrait lire *Ces femmes qui aiment trop*, un livre conçu pour moi, mais assez fort pour elle.

So much pour la loyauté infinie des boxers. Docteure Vo, il y a erreur sur la marchandise, remboursez-moi, me dis-je avant de penser que, pour être remboursée, il faudrait d'abord que j'aie payé. Zut.

« Tu restes à souper avec nous, Rosario ?

— Laisse-moi deviner, on mange des pâtes. »

Il se lève et m'embrasse sur les deux joues, me signifiant qu'il s'en va.

« Tu me diras quand tu lui auras trouvé une famille, j'irai l'abandonner avec toi. »

Vous avez remarqué son humour sarcastique ? Ce n'est pas un trait culturel brésilien, le sarcasme. Rosario a pris ça ici, en Amérique. Contaminé, il est, et c'est chronique, je le crains. Alors que nous avons produit la

Ford modèle T, la Constitution et Jackson Pollock, il faut admettre que ce n'est pas ce que nous avons réussi de mieux, le sarcasme. Ça tue toute rondeur, tout bonheur, ça réussit même à débusquer une toute petite joie qui se cache dans un coin de peur d'être exterminée comme une vermine.

« Rosario. »

La main sur la poignée de porte, il se retourne vers moi, déjà pressé d'être chez lui.

« Tu n'étais pas comme ça au début.

— Quel début ? Comme ça quoi ?

— Quand tu es arrivé à Montréal. Tu étais joyeux et léger.

— Je suis encore joyeux et léger, Julia, me dit-il, de nouveau pétillant, le sourire éblouissant et la main virevoltante.

— Moins, mon ami. »

Il plisse les yeux, il réfléchit et il acquiesce. Contrairement à moi, il ne s'entête pas dans ses convictions qui l'empêchent d'avancer. Contrairement à moi, Rosario admet ses travers avec la facilité déconcertante de ceux qui se savent assez solides pour ne pas chavirer quand le courant les incite à changer de cap.

« Tu as raison, j'oublie plus facilement que demain n'est pas promis. Je vais faire attention. »

Et il referme la porte avec toute la délicatesse du monde. Dans ces moments-là, j'ai le regret fulgurant et le cœur en berne. David aurait fait de moi une femme aimée. Rosario aurait fait de moi une meilleure femme.

Seule avec la chienne, je n'ai plus qu'à faire bouillir l'eau pour les pâtes et à sortir un sachet de sauce

Alfredo. Un repas de reines que nous partageons en silence, dans une complicité tacite de filles qui aiment beaucoup trop le parmesan.

FILLE

D'or et de sang, les feuilles sont devenues brunes et grises. Novembre, mois des morts. David est partout, et moi nulle part. Enfin, si, je suis au parc. Tous les jours. Qu'il pleuve ou qu'il vente, nous allons au parc.

Malgré mes appels quotidiens à tous les centres de sauvetage pour animaux, personne ne s'est manifesté au rayon des petits boxers perdus. Au rayon des grosses filles perdues, je n'ai pas été réclamée non plus. Nous sommes deux. À nous les geler dans un parc en novembre.

À l'un des centres de sauvetage, on m'a dit de ne pas attendre à Noël si je me décide à aller leur porter la chienne. C'est une période de l'année où ils sont occupés, il y a des congés et, trop souvent, quand les employés arrivent le matin, ils trouvent des animaux abandonnés à la porte du centre, dans le froid et la neige. Peu survivent. Ou alors avec de telles engelures qu'il faut les amputer.

Je ne suis pas une de ces folles qui, comme la dame au petit chien blanc, vénère le règne animal et baptise un quadrupède frisé d'un nom de poète à la libido frénétique.

Oui, je parle de Victor Hugo, inutile de le googler et de me sortir le discours de la nécessaire différenciation de l'homme et de son œuvre, je n'ai pas envie de réconcilier les deux.

Non. Je suis une fille raisonnable qui comprend tout à fait que, dans la vie, on puisse se dédire d'un engagement, pour mille et une raisons, certaines plus solides que d'autres. Mais *qui* abandonne un animal à la porte d'un centre de secours fermé alors qu'il aurait été si simple de venir déposer le même animal pendant les heures d'ouverture? Qui? Qu'y a-t-il de si urgent qui ne puisse attendre quelques heures? La messe de minuit? La dinde à trucider? La dispute annuelle entre la fille mal aimée et le fils prodigue?

Les gens sont des imbéciles. C'est ce que me répète tous les jours la dame au caniche. Celle qui est folle de Victor Hugo (probablement parce qu'il est mort, s'il était vivant, elle prendrait son air sévère pour condamner ses folies, n'en doutez pas une seconde). Oui, nous nous fréquentons sur une base quotidienne, elle et moi.

Son Victor, qui n'est pas du tout un caniche, mais un bichon, se révèle grand jappeur et encore plus grand faiseur, toujours à faire la loi à plus gros que lui, facho et mégalo, terrorisant des pit-bulls et des dobermans comme s'il ne pesait pas trois kilos, mais mille. Ce chien n'a aucun problème d'estime de soi, il est *big*. Dans la tête de Victor-le-bichon-facho, il y a un molosse, le gardien des enfers, le Joker du parc. Sa maîtresse lui a changé son manteau d'automne pour un duvet bleu ciel qui convient mieux aux nouvelles froidures, mais pas du tout à son tempérament. Ma bête à moi endure le vent à froid, sous les remarques peu subtiles de celle que j'ai surnommée «l'Anglaise au bichon», bien qu'elle ne soit pas plus britannique que Madonna, même du temps où Madge était mariée à Guy Ritchie.

Parfois, nous nous saluons d'un simple signe de tête, parfois elle s'informe de mes progrès dans ma recherche d'un nouveau foyer pour la chienne, et toujours elle me complimente sur ma bonté d'âme : « C'est important, les foyers de transition ; sans vous, cette pauvre bête aurait déjà été euthanasiée ou peut-être pire. »

Je n'ose pas demander à quoi son « pire » fait allusion.

Le dimanche, elle distribue des biscuits au foie de volaille qu'elle cuisine elle-même et, à voir son sourire radieux au moment de répandre la joie autour d'elle, je sens que mon Anglaise au bichon raffole de l'attention qu'elle reçoit de ses amis à quatre pattes. Je ne lui ai jamais posé de questions, mais mon idée est faite. C'est une vieille fille, probablement libraire, qui souffre de solitude et qui n'a pas connu les plaisirs de la chair depuis des temps immémoriaux.

Je connais maintenant les noms de tous les chiens – Charlie, Lola, Oscar, Pépin, Victor, Lana, Margaret, Monique, Fifine, Lady Gaga, Churchill, Gwyneth, Billie – et d'aucun des maîtres. C'est la règle du parc. Nous savons tout de la castration de Churchill (ça s'est très mal passé, il a fait une vilaine réaction à l'anesthésie et il doit porter une collerette de plastique qui le fait ressembler à la reine Victoria dans ses vieux jours) et des problèmes de comportement de Fifine (elle mange des chaussettes, pleure la nuit et se gratte au sang, nous soupçonnons un Œdipe mal réglé), mais nous observons une étiquette stricte à propos de notre condition humaine : aucune question.

Évidemment, à moins d'être totalement idiot ou aveugle, il est facile de tirer quelques conclusions assez solides sur les maîtres. Ainsi, ce grand Black aux yeux vitreux, sapé comme un prince et qui a baptisé son chien Méthadone n'est sans doute pas professeur de littérature romantique. Ni inspecteur de police. Par contre, il n'y a qu'à poser les yeux sur Meth – une petite saucisse à courtes pattes et à l'attitude de séducteur impénitent – pour en déduire que le Prince du bling-bling a de l'humour. Et de l'argent. Beaucoup d'argent. J'ai vu Meth sauter – avec un courage certain – du siège de cuir dodu d'une Jaguar. Et les bagues qui ornent les mains de son maître ne sont pas du toc.

Il n'y a pas à se poser mille questions quand on voit le tout petit Latino aux muscles gonflés à l'hélium débarquer au parc avec Raoul le pit-bull, un molosse au collier clouté de pics de métal. Voilà un jeune homme qui n'a pas confiance en sa virilité. Je ne sais pas si les mecs qui se cachent derrière leurs chiens sont conscients qu'ils sont aussi nus que le roi de l'histoire. Plus le chien est une grosse brute menaçante, moins le mec qui est derrière est sûr de lui. Ce qui m'amène à conclure que la valeur d'un homme est inversement proportionnelle à la taille de son chien, et que, si d'aventure je pensais un jour – dans un avenir très lointain – à me remettre « sur le marché », j'aurais avantage à me concentrer sur les hommes qui sont au bout de la laisse d'un chihuahua.

Ou d'un danois. Qui, comme je le découvre au quotidien, fait exception à la règle. Un homme qui adopte un danois – ce grand bébé aux élans intempestifs qui s'épivarde – est par définition un homme doux et fort, capable d'abnégation et d'engagement. La preuve : tous ceux qui viennent au parc avec un danois sont invariablement accompagnés d'une blonde aux jambes interminables et au sourire suédois.

Parfois, j'ai envie d'en attraper un au vol et de lui poser une question qui me taraude. Le danois est-il venu avant ou après le mariage ? La femme a-t-elle précédé la bête ou est-ce l'inverse ? Je n'ose jamais transgresser la règle du parc sur les questions d'ordre personnel, alors je vis dans l'incertitude. Pour les filles, il n'y a pas de règles, et elles s'appliquent toutes. Ça rend la condition féminine difficile à vivre, ce qui explique sans doute la grande variété de chiens au bout de nos laisses et le fait qu'il soit impossible d'en déduire quoi que ce soit avec certitude.

Si j'étais un observateur extérieur et si je posais les yeux sur cette fille qui débarque au parc avec son boxer, je me tromperais. Je lui attribuerais une vie qui n'a rien à voir avec la mienne, une vie de fille un peu brute, une vie d'aventures, de randonnées sauvages et de feux de camp au Yukon. Moi qui n'aime que les chambres d'hôtel de luxe, les musées et les grands crus. On ne peut pas juger une femme à son chien, surtout quand il a été ramassé au coin d'une ruelle. Ou alors, on ne doit présumer qu'une chose : nous sommes naturellement enclines à ramasser ce qui traîne plutôt qu'à choisir.

Foutu parc à chiens.

Je ne sais pas pourquoi je m'entête à le fréquenter. Aussitôt qu'on y entre, la chienne se colle à côté de moi comme une enfant apeurée un jour de rentrée, sans dépenser un iota de cette énergie prodigieuse dont elle a le secret. J'ai beau l'encourager d'un «Cours, allez cours», rien à faire. Elle ne décolle pas de ma jambe, pour mieux se mettre à sauter partout et à tirer sur sa laisse dès qu'on quitte l'enclos.

Cette chienne a l'esprit de contradiction. Comme si je n'avais pas assez de mon patron qui semble contrarié de voir ma mission chinoise porter ses fruits. Je devais repartir, je ne pars pas. Ou alors sur le même continent, Kamloops, Charleston ou Mississauga, bref, des destinations ennuyantes et sans défi. Je ne comprends ni la chienne ni mon patron. Pourquoi ne s'expriment-ils pas clairement?

Ils s'expriment clairement, c'est moi qui ne vois rien. Qui n'écoute pas non plus. Aveugle, sourde, et condamnée aux parcs à chiens et aux banlieues industrielles. Bravo, championne.

La chienne s'entend bien avec tous les autres chiens, mais elle est folle d'amour pour Oscar, un beau bâtard ténébreux qui lui donne du fil à retordre. Autant ils sont exaltés par la joie de se retrouver, autant l'insistance de la chienne à vouloir être plus près, toujours plus près d'Oscar finit par tomber sur les nerfs du beau mâle et par provoquer une mise en garde, deux mises en garde, puis une dégringolade de leur relation jusqu'aux aboiements hargneux.

Le maître d'Oscar, un grand monsieur à l'accent chantant de la Barbade, doit les séparer. Moi, j'ai trop peur de la mêlée, de la bave et des crocs.

Nous les avons surnommés les Elizabeth Taylor et Richard Burton du parc à chiens, et leur relation

– enfin, sa façon à elle d'être envahissante avec lui, de toujours s'imposer alors qu'elle gagnerait à cultiver son indépendance, voire à feindre l'orgasme avec Méthadone – me rappelle douloureusement que j'ai eu exactement le même comportement avec tous les hommes qui sont passés dans ma vie.

Tous, sauf David.

Que cherche à me dire l'Univers ? Que je suis une chienne qui veut trop ? Mais alors, Univers, si tu es si malin, explique-moi comment ne pas se comporter en affamé quand on n'a pas mangé depuis des lunes ? Ah, ah, Julia contre l'Univers et ses édifiantes leçons de vie, un à zéro.

Et la chienne qui repart au galop vers Oscar. Trop vite. Trop fort. Trop insistante. Trop. Je sors traumatisée de leurs retrouvailles exaltées qui virent chaque fois à la bagarre, et je dispute la chienne.

« Je sais que tu l'aimes, ton Oscar, et peut-être qu'il t'aime aussi, mais il n'est pas bon pour toi. Tu n'es pas toi-même avec lui, tu changes. »

Elle me jette un regard douloureux, puis fait semblant de regarder ailleurs et repart de plus belle en direction de son bourreau. Le maître d'Oscar est gentil, il caresse la chienne, encourage Oscar à se montrer galant et s'excuse d'un sourire confus quand Oscar finit par s'en prendre à elle, aussi tenace que Glenn Close et son attraction fatale. Ne manque que le lapin bouilli.

Il n'y a rien à faire. Si je suis encore capable d'aveuglement concernant mes propres comportements, il m'est impossible d'ignorer ceux de la chienne. C'est son insistance même à vouloir s'imposer, à vouloir forcer l'amour, qui oblige Oscar à devenir méchant.

Comme j'ai obligé Francis à devenir méchant. Comme l'amour s'est imposé de lui-même quand Francis a rencontré cette fille qui a déjà trois enfants, lui qui disait avoir assez des siens.

On ne va pas contre l'amour. On ne le force pas non plus. Et ce parc à chiens est en train de faire de moi une philosophe du petit sac à crottes. La Bernard-Henri Lévy canine, c'est moi.

Quand on me demande comment s'appelle la chienne, je dis : « Fille. » C'est anonyme, facile à retenir, et la personne qui l'adoptera n'aura pas de mal à trouver mieux. On dit souvent que les agriculteurs évitent de donner des noms aux animaux destinés à l'abattoir. Pour éviter de s'attacher. Vu mon passé sentimental (j'aurais pu m'attacher à un poteau de téléphone s'il m'avait accordé un brin d'attention), je ne veux pas courir de risques. À d'autres, le soin de la baptiser officiellement. On n'abandonne pas une Maggie, une Désirée ou une Princesse.

Une fille, oui. Ça s'abandonne bien.

La preuve : moi. On m'a toujours abandonnée très facilement. Un jour, il y a une fille dans la vie d'un homme, le lendemain, l'homme la largue sur un trottoir et se dépêche d'en épouser une autre. Même David, si on y pense, a trouvé le moyen de m'abandonner en percutant son arbre.

Il n'a pas fait exprès, d'accord, mais le résultat est le même. Je suis là, les pieds dans la gadoue d'un parc qui pue la pisse, punie d'avoir brillé en Chine, et où est David?

Pas là.

En poussière dans un cimetière d'une ville de province nulle à chier, où personne n'ira jamais se recueillir sur sa tombe. Tout ça pour éviter d'écraser un chien.

Alors, Fille, ça ira très bien.

COURIR

J'ai acheté des chaussures de course.

Le parc à chiens est un échec. Je me gèle les fesses, immobile au milieu des goldens, des bouviers et des vendeurs de drogue, attendant que Fille se dépense, ce qu'elle refuse de faire, ou la regardant nous rejouer *La Mégère apprivoisée* avec Oscar, ce qu'elle fait trop volontiers. Je dois alors aller la chercher par le collier, la tirer des griffes d'Oscar qu'elle s'entête à vouloir frencher, et c'est humiliant pour elle et pour moi. J'ai été gâtée en humiliation ces derniers temps, inutile d'en rajouter.

Entre la job, où je ronge mon frein sans comprendre ce que je peux avoir fait de mal pour qu'on me retire, même subtilement, le dossier chinois, et le mois de novembre qui n'en finit plus de noircir ce qui reste de lumière, je deviens dingue.

J'achète des *runnings*. Et des pantalons de sport en lycra noir qui me boudinent. Et un petit manteau ajusté qui, m'a dit le vendeur, trouve le moyen d'être imperméable et de respirer en même temps. On n'arrête pas le progrès.

Fille est contente. Elle préfère la course à l'enclos. Elle tire sur sa laisse à me déboîter l'épaule, j'ai intérêt à suivre. Je ne suis pas. Mais alors là, pas du tout. Je tousse, je râle, je crache, je m'agrippe aux poteaux, j'ai chaud, je crampe, j'hirsute et je sue. Mais je persiste et signe, solidement accrochée à la laisse qui nous lie.

Tout mon corps fait mal. Ce qui en dit long sur l'état végétatif dans lequel il se contentait d'exister. Certains soirs, j'ai tellement mal avant de sortir que je me demande comment je vais réussir à me rendre jusqu'à l'ascenseur.

Inévitablement, je croise mon voisin comptable, sa femme et leur paquet hurleur et, comme par magie, je me redresse, j'allège mon pas et je feins, avec une énergie que je n'ai pas, d'être une sportive accomplie. Quelque chose d'étrange se passe alors. Mon pas se fait plus allègre, ma posture plus droite et mon allure plus vive.

Je cours avec la chienne jusqu'à ce que mon cerveau se vide de ses mille et une questions sans réponses. Je rentre, nous mangeons et nous dormons. Et le lendemain, on recommence, dans un rituel qui se révèle désastreux pour ma vie sociale – adieu les cinq à sept où j'aurais l'occasion de rencontrer un homme que je ferais fuir – mais que je ne remets pas en question. Il faut le faire, alors on le fait.

Nous prenons les ruelles et, dans l'obscurité des jours qui raccourcissent comme une jupe de laine oubliée dans la sécheuse, je regarde la vie des gens à travers les fenêtres illuminées de leur cuisine, dans un musée de la vie quotidienne où il n'y a ni gardien ni prix d'entrée. Souvent, ils ont l'air heureux. Même ce gamin qui pioche sur une leçon de piano rébarbative me décoche un sourire complice. Je suis son échappée, entre deux gammes.

Parce qu'il m'arrive de m'arrêter, oui. Pour reprendre mon souffle. Du coup, j'observe la vie des autres. Je comprends maintenant ce que voulait dire Rosario quand il m'incitait à regarder la route. Il ne me parlait pas des sept merveilles du monde, il me disait de prêter attention aux gamins qui s'échappent entre deux gammes.

C'est noté, Rosario.

Au fil du temps, je m'améliore et mes poumons me laissent un peu d'oxygène pour penser ; j'en profite pour régler des dossiers du bureau. Je dois parler à mon patron, lui demander ce qui ne va pas dans le dossier avec la Chine. J'étais si certaine que j'avais tout fait à la perfection. Qu'ils étaient contents de moi et de mon travail. En piquant un sprint le long de ma piste préférée, une allée de gravier fin qui longe les rails du chemin de fer, je sens la décision prendre forme, mûrie par la cadence de mes pas.

Je rentre de plus en plus tard de mes courses. Rosario est sur le cul. Il ne me fait aucune remarque, mais juste à voir ses yeux posés sur ma face rouge et suante, je sais qu'il se demande si je ne me suis pas mise à acheter la marchandise du maître de Méthadone.

« Toi, du sport ?

— Pas moi, elle.

— Je te ferai remarquer que tu es au bout de sa laisse. Et que tu portes des chaussures jaune fluo.

— C'est pour éviter de me faire écraser dans le noir. »

Je l'embrasse, bien suintante, je lui dis bonsoir, je savoure le jet brûlant de la douche sur mon corps endolori, et ensuite, on mange, la chienne et moi. Je lui ai acheté des cannes de bœuf et poulet, et aussi une espèce de moulée dégueulasse qui sent le moisi et le blé rance.

Elle n'aime pas ça. Alors je lui fais cuire de la viande hachée, avec du riz, des carottes, des épinards et des petits pois. Ça, elle aime. Et, finalement, après avoir goûté, je constate que, ma foi, ce n'est pas mauvais du tout, surtout si on y ajoute du parmesan râpé. Ça nous fait changement de l'Alfredo et du saumon, et j'en prépare des casseroles gargantuesques.

J'ai acheté une grande marmite en fonte. Et une plus petite pour y faire cuire des potages et des soupes. Ça aussi, elle aime. Avec des croûtons et du parmesan râpé. L'important, c'est le parmesan. C'est notre devise.

Ce soir-là, nous mangeons toutes les deux un minestrone, le corps bien fatigué par notre course quotidienne, quand les cris du bébé des voisins transpercent les murs. La chienne finit son plat et va s'installer près de la porte, aux aguets. À l'écoute de la détresse de ce petit bout de femme qui pleure son angoisse ou ses coliques enfantines, allez savoir avec la douleur, bien fol qui s'y fie.

Quand je vais chercher Fille pour essayer de la ramener dans le salon, je constate que le tapis est mouillé. Pendant un instant, je crois qu'elle s'est échappée, qu'elle a perdu le contrôle de sa vessie. Mais non. Ce sont ses mamelles gonflées de lait par les cris de l'enfant qui se sont remises à couler.

Quand enfin les cris cessent, la chienne vient se coucher sur le vieux coussin que je lui ai installé au pied de mon lit. Le rituel se répète tous les soirs, l'angoisse de l'enfant au moment de sombrer dans le sommeil, l'attention inquiète de la chienne qui guette à la porte. Jusqu'à ce que le silence s'impose à la nuit.

ÉCOUTER

Il s'appelle Vincent de la Fresnière, il est parisien, c'est mon patron. Depuis plusieurs semaines maintenant, j'ai demandé un rendez-vous à son adjointe. Elle a prétexté un agenda très chargé. J'ai insisté, insisté, insisté encore. Elle m'a bloquée, bloquée, bloquée encore.

J'ai réussi à le coincer en arrivant au bureau à l'aube en même temps que lui, parce que je savais qu'à cette heure-là il n'y aurait que lui et moi. Face à face.

Je le trouve à la machine à café où il se fait couler un petit noir très serré, tranquille. Comme toutes les bêtes prises au piège, il n'a pas l'air content de me voir. Comme toutes les bêtes en quête de gibier, je n'ai pas eu le choix. Pour le coincer, il me fallait le traquer au moment où il n'est pas protégé par la meute. En une fraction de seconde, je revois Fille poursuivant Oscar et les désastreuses conséquences qui s'ensuivent. Mon instinct me dit de partir, là, tout de suite. Mon besoin d'avoir raison m'oblige à rester. Ce n'est pas de ma vie amoureuse qu'il s'agit, mais de ma vie professionnelle. J'ai accompli de l'excellent boulot, et non seulement je ne suis pas récompensée, mais je suis punie.

Contrairement à Fille avec Oscar, je ne me laisserai pas faire.

«Julia.

— Vincent… J'aimerais savoir pourquoi le voyage en Chine a été annulé. J'avais commencé quelque chose, les résultats étaient probants, il ne me restait qu'à…»

Il me coupe.

«Vous voulez vraiment faire ça maintenant? Quand je n'ai pas encore pris mon café?

— J'ai le sentiment que vous cherchez à m'éviter.»

Il me fait signe de le suivre, il entre dans son bureau, son vaste bureau avec un Marc Séguin accroché au mur, juste au-dessus de la photo de sa femme, une pianiste, et de leurs enfants, tous les trois parfaits. Il est très fier d'afficher qu'il apprécie l'art, ça lui fait un vernis sur ses chiffres. Et de montrer qu'il a les moyens d'en posséder, il ne faudrait pas oublier les chiffres, tout de même. Quand je l'entends miser sur son statut d'homme de famille pour justifier une décision «difficile» – mettre un employé à la porte, par exemple –, il m'arrive de me dire que Vincent s'est acheté une famille comme il s'est acheté un Marc Séguin. Pour les posséder, les afficher et, ainsi, pouvoir vaquer à ce qu'il aime le plus au monde: faire de la *business*.

Il me fait signe de prendre place, il boit son espresso d'un trait, il pose ses deux coudes sur le dessus de son magnifique bureau d'acajou dessiné sur mesure pour lui par un artisan américain réputé, et il me regarde dans les yeux. Quand on travaille dans le bois, il n'est pas possible de conduire une entreprise sur un bureau d'acier.

«Le voyage n'est pas annulé, me dit-il, posément. Nous faisons toujours affaire avec la Chine, et les ententes d'exploitation de l'usine de Guangdong viennent d'être ratifiées par nos avocats.»

Je ne comprends pas tout de suite tant je suis soulagée d'entendre que le voyage n'est pas annulé et que le projet est toujours d'actualité. Puis, une angoisse sourde me saisit et m'alourdit la poitrine d'une certitude. J'ai été évincée.

«Pourquoi?» dis-je d'une voix beaucoup moins maîtrisée que je le voudrais, ni douce ni ferme. Miss Vo ne serait pas fière de moi.

Il a un geste évasif.

«Les Chinois…

— Ça s'est bien passé avec les Chinois quand j'y étais. Toutes les réunions se sont déroulées comme prévu, et j'ai obtenu…

— Rien du tout. Vous n'avez rien obtenu, Julia. Les gens de Guangdong étaient déjà intéressés par notre association. C'est de vous qu'ils ne veulent pas dans les négociations.»

De moi.

Encore un rejet. Comme avec Francis. Sauf que mes dossiers sont impeccables, je le sais, j'ai tous les courriels pour le prouver.

«Ce n'est pas votre travail qui est remis en cause, c'est vous. Ils vous trouvent trop entreprenante, trop agressive.

— Vous ou eux?

— Eux. Moi, ça ne me gêne pas, j'aime bien votre esprit fonceur, ça me plaît chez une femme.»

C'est donc ça. Une évidence.

«C'est parce que je suis une femme que les Chinois ne me veulent pas dans le développement du projet.

— Pas du tout. C'est parce qu'ils vous trouvent trop agressive.

— C'est ce que je disais. C'est parce que je suis une femme.»

Douce et ferme, Julia, douce et ferme. Pense au lynx du Dr Vo. Surtout rester douce. Surtout rester ferme.

«Si j'étais un homme, mon esprit fonceur, comme vous dites, ne serait pas perçu comme de l'agressivité, mais comme du leadership qui mérite une prime.

— Tout à fait.»

Il a le bon goût de ne pas nier.

«Mais vous n'êtes pas un homme.»

Bravo pour ce constat éblouissant, Vincent.

«Ils vous trouvent abrasive.

— Abrasive?»

Je voudrais ravaler ces huit lettres bourrées d'agressivité. Trop tard.

«C'est un partenariat de 350 millions de revenus potentiels. Ça ne serait pas une bonne décision de ma part de vous garder sur ce dossier-là.»

Il a dit ça sur un ton amusé; ça le fait rire de sortir des évidences, ce petit crétin qui pue le Dior à plein nez.

«Dites-moi, Vincent, je piloterais toujours le dossier si les Chinois ne s'étaient pas plaints?

— Évidemment. Je vous l'ai dit, votre travail n'est pas en cause. Vous êtes intelligente, autonome et compétente.

— Alors, pourquoi ne pas m'imposer aux Chinois? Vous pourriez très bien leur dire que j'ai votre confiance pour mener le projet à terme et que vous croyez que j'ai les compétences nécessaires.»

Je pousse, je le sais, je le sens, je le regrette déjà. Mais il fallait que je le dise. À nouveau, il a l'air agacé. Une coche de plus que tantôt. À la limite de l'exaspération. Ne pas pousser le bouchon, Julia, tu le pousses déjà trop.

«Non.

— Pourquoi?

— Je n'ai pas à me justifier de prendre une décision judicieuse, mais puisque vous insistez, je vais vous dire pourquoi. Parce que vous insistez, justement. Parce que dans une réunion où il n'y a qu'à récolter, vous essayez d'imposer vos idées.

— Mais…

— Non, Julia, non! Je n'ai pas besoin de quelqu'un qui a des idées et qui essaie de changer un système qui marche pour le plaisir de mettre son ego sur la table. Je ne vous demande pas d'innover, je vous demande de veiller au bon fonctionnement de nos affaires. Je pourrais vous imposer aux Chinois, mais je ne le ferai pas. Je ne risquerai pas de les irriter pour que vous puissiez prouver votre valeur personnelle. Et j'aimerais, si possible, que ce soit un dossier clos et qu'on continue de travailler ensemble sur les autres, dans un climat où votre esprit fonceur serait un atout et pas un handicap. J'espère avoir été clair.»

Très clair, monsieur. C'est parce que je suis une femme que mon esprit fonceur dérange. Je le sais. Vous le savez. C'est un éléphant au milieu de la pièce et, si je ne m'accrochais pas très fort à l'image des yeux douloureux de Fille quand elle se fait rappeler à l'ordre par Oscar à bout de nerfs, je tenterais, encore une fois, de vous prouver que j'ai raison.

Mais voilà, peut-être vaut-il mieux avoir la paix qu'avoir raison.

En attendant, une chose est limpide. Dans le vaste tableau de la prospérité du bois canadien, de ses pâtes et de ses papiers, je ne compte pas.

Rebelle

Dans les jours qui suivent, je cours tous les jours. Puis, deux fois par jour, à l'aube, alors que le faible soleil de novembre n'est pas encore levé, et le soir, quand il est déjà couché. Je cours pour oublier Vincent, la Chine et ses millions de bénéfices en couches pour des bébés glorifiés et uniques destinés à devenir un jour des vieillards qui auront eux aussi des couches.

J'ai accroché la lanterne de papier rouge à côté de la carte de tarot qui me prédit gloire et fortune. Le miroir de l'entrée, petit musée de l'humiliation quotidienne, commence à ressembler à un autel dédié à mes échecs.

Heureusement, la chienne qui m'accueille me force à m'agenouiller pour lui caresser la tête, ce qui m'évite une rencontre avec ce satané miroir et ces damnés objets de malheur.

Pourquoi est-ce que je n'utilise pas un de ces immenses trucs de plastique vert qu'on appelle sacs-poubelle ? Je ne sais pas. Je soupçonne que c'est parce que j'ai un compte à régler avec une lanterne chinoise et une carte de tarot. Deux objets de papier, faits à partir de la pulpe de nos arbres, et la pulpe de mon cœur.

Entre deux courses, je vais au bureau, où je m'applique à travailler avec professionnalisme et rigueur tout en m'interdisant la moindre manifestation de zèle. Ce qui veut dire qu'au lieu de quitter le bureau à l'heure où les gens normaux ont déjà mangé, je quitte ma chaise, mon ordinateur, mes graphiques et mes statistiques à l'heure où les gens normaux terminent leur premier verre de vin. Déjà plus tard que la majorité des fourmis qui servent la reine.

Vincent se fait un devoir de me traiter comme avant « la » conversation, c'est-à-dire que toutes ses énergies sont mises au service des apparences. Il va bien, je vais bien, nous allons bien, et « Tenez, Julia, j'aimerais beaucoup que vous jetiez un œil au projet de restructuration de l'usine de Windsor ; leur département de recherche et développement fait preuve d'une belle vitalité ».

Une belle vitalité. Comme si Windsor n'était pas la petite sœur de Détroit, ville en faillite s'il en est. Ils sont désespérés, oui. Qu'importe, je m'empare du dossier, je promets d'y jeter un œil, je constate que tous les projets du département de recherche et développement sont navrants, mais je m'efforce de voir « le côté positif des choses et le verre à moitié plein » et je fais des recommandations en ce sens.

Meilleure employée que moi, il ne trouvera pas. Mais à l'heure où normalement je devrais être en train de donner le dix pour cent de supplément d'âme qui fait de moi une gestionnaire proactive, je ferme mon ordinateur et je garde mes idées pour moi.

Quand j'arrive au parc, après avoir jeté mes escarpins, déchiré mes bas nylon pour m'en débarrasser plus vite et enfilé mon costume d'athlète olympique de l'ombre, il est déjà tard et il ne reste que les zélés de la forme physique, les zombies et les rebelles. Ceux qui, comme moi, regardent à droite, regardent à gauche pour s'assurer que la voie est libre, et détachent la laisse de leur chien pour le laisser courir en toute liberté hors de l'enclos prévu à cet effet.

Fille n'aime rien de plus au monde que cet instant où elle entend le clic caractéristique du mousqueton de métal que j'ouvre pour la libérer de sa laisse. Avec un frémissement, elle s'échappe comme une balle qui sort d'un fusil à pompe, tous muscles tendus, en quête d'un seul objectif : trouver, chasser et attraper un écureuil.

N'importe lequel, jeune roux, vieux gris, pelé jusqu'à la moelle ou touffu bien gras, qu'importe la bestiole pourvu qu'il y ait l'ivresse. C'est fascinant de la voir courir après ces rats à la queue gonflée d'orgueil qui la narguent comme un banquier véreux nargue le fisc. Elle a beau se tapir, s'immobiliser, feindre, tenter de se fondre dans un tas de feuilles mortes pour mieux bondir à la dernière seconde, elle n'arrive jamais à les coincer.

Je l'ai vue souvent frôler sa cible, à quelques millimètres du succès, le rythme cardiaque dans le tapis. Vite, vite, vite, Fille ! Je vote pour elle, je l'encourage : dans ma tête, tous les écureuils s'appellent Vincent. Meilleure *cheerleader* que moi, elle ne trouvera pas.

Tue-le !

Raté.

Et je vois, impuissante, cette victoire lui échapper. Chaque fois.

Ce qui me renverse, c'est que, peu importe l'échec de la précédente chasse, Fille entreprend chaque nouvelle traque à l'écureuil avec le même enthousiasme, le même élan, la même foi en l'avenir.

Comme si elle n'avait jamais raté son coup. Comme si toutes ses tentatives n'étaient pas des échecs prodigieux.

Je la trouve à la fois stupéfiante et pathétique. Surtout pathétique en fait. Je ne comprends pas. Qu'on puisse se donner autant de mal pour monter à bord du *Titanic, chaque fois*. Et Fille ne lésine pas sur le naufrage, l'orchestre joue jusqu'à la coulée finale du paquebot.

Je vois sa chasse exactement comme Vincent voit ma participation à la mission chinoise, avec dédain, l'œil vissé à ma lunette entrepreneuriale, le regard en tunnel, fixé sur l'objectif. Le retour sur l'investissement est nul ; d'un point de vue d'affaires, son rendement mettrait en faillite n'importe quelle entreprise avant même qu'elle ait le temps de naître.

Fille s'en fout d'atteindre ses objectifs. Ce qu'elle aime, par-dessous tout, c'est l'excitation de la course, la décharge d'adrénaline et l'écureuil dans son champ de vision, cet obscur objet du désir. Si je ne rate rien de la joie qu'elle prend à chasser, je la traite de haut, je la dédaigne, je la méprise même. Dédaigner la joie, alors que le compte est à zéro, il faut le faire.

Un soir, comme je viens de détacher ma bête pour la livrer à son désir de prédilection, j'entends une voix masculine et moqueuse derrière moi.

« On transgresse le règlement, mademoiselle ? »

Je me retourne, le cœur battant. Les amendes sont salées si on se fait prendre à laisser courir son chien sans laisse. Ce n'est pas un policier, mais un jeune homme à la barbichette taillée en mousquetaire, l'œil frondeur et le sourcil bien arqué. Il est plutôt mignon, enfin, si on aime les garçons gringalets à qui il manque encore le coffre qui fera d'eux des hommes.

Il dépose un chihuahua blond par terre, libre de laisse, et une minuscule bombe se met à zigzaguer comme un dératé en direction de Fille, qui s'arrête fret net sec, déroutée par cet ersatz de chien atomique. Compte tenu de mes observations sur l'importance de la taille du chien par rapport à celle de l'ego du maître, j'aime bien les hommes qui sont au bout de la laisse d'un chihuahua. Je pose donc la seule question digne d'intérêt dans les circonstances.

« Comment il s'appelle, ton chien ?

— Rocco. »

Rocco. Rocco. Comme le… ?

« Comme l'acteur de films pornos, oui. »

Je fixe le bolide effréné qui se donne à fond pour rattraper mon boxer et… oh boy ! De façon spectaculaire et très visible, le conquistador italo-mexicain n'est pas opéré. Fille non plus n'est pas opérée. En même temps, impossible d'être inquiète. Il est trop bas sur pattes pour… Je hoche la tête.

« Je peux voir la ressemblance avec Rocco.

— N'est-ce pas ?

— La blondeur, la finesse de la taille, les oreilles pointues. »

D'Artagnan me sourit jusqu'aux oreilles, radieux. Il est vraiment mignon. Et vraiment jeune. En plus, il enfreint tous les us et coutumes du parc qui veulent qu'entre inconnus nous ne parlions que de nos chiens. Lui, il veut parler tout court. De la vie, de l'amour, de la mort, de la difficulté de monter une entreprise qui conçoit des applications pour téléphones intelligents quand on n'a ni contacts, ni capitaux, ni investisseurs. J'écoute. Ça me distrait des pâtes et papiers. J'évite de lui donner mon opinion, encore traumatisée par la remarque de Vincent sur mon besoin d'imposer mes idées. Je constate, à ma grande surprise, que c'est très relaxant de se taire…

Plus le maître de Rocco m'explique ses projets, plus je le trouve attendrissant et pas du tout préparé à affronter le monde des affaires. Il a autant de bonnes idées que de lacunes dans sa façon de les structurer. Ça va dans tous les sens, une explosion de couleurs qui ne vont pas ensemble. Évidemment qu'il ne trouve pas d'investisseur. Malgré sa fougue, ou peut-être bien à cause d'elle, il n'en trouvera pas, non plus.

Pauvre garçon.

Les chiens s'épuisent ensemble, trop heureux de se courir après et de feindre l'apoplexie quand ils se retrouvent face à face. C'est la première fois que je vois Fille oublier ses écureuils chéris pour un mec dont elle n'est pas amoureuse. Pas comme avec Oscar, qui lui ravit toute dignité.

Je l'aime bien, ce Rocco. J'interromps d'Artagnan, qui en était aux fonds d'investissement des jeunes entrepreneurs de la chambre de commerce : « Tu sais que ça va contre toutes les règles du parc de parler d'autre chose que de nos chiens ? »

Il hausse un sourcil narquois.

« Oui, mais toi et moi, on est des rebelles ; regarde, on laisse nos bêtes féroces courir pas de laisse. »

Il m'a tutoyée. Ce qui signifie que je n'ai pas encore tout à fait l'air d'une petite vieille décatie. Les vêtements de sport, le visage nu et la tuque enfoncée sur la tête y sont sans doute pour quelque chose. Mais rebelle ? Je n'ai jamais pensé que je pouvais l'être. Quoique… Depuis quelques jours, ma façon de continuer à faire mon boulot à la perfection tout en abandonnant tout ce qui a fait son *excellence* pourrait être perçue comme de la rébellion. À ma façon. Je lui retourne son sourire.

« Pourquoi tu ne me dis pas à quoi ça sert, ton application, plutôt que de me parler de l'argent que tu n'as pas ? »

Il plonge son regard dans le mien.

« Celle sur laquelle je travaille présentement est une application qui se sert de la géolocalisation pour repérer les commerces équitables qui favorisent l'utilisation de produits et de matériaux certifiés biologiques. »

Je hoche la tête, prolongeant le silence pour être certaine d'évacuer toute trace d'ironie dans ma voix.

« Et je me servirais de ton application pour acheter de façon responsable. »

Son visage s'illumine. Je lui offre le plus beau de mes sourires forcés, en espérant qu'il n'y voie que du feu. Il n'y arrivera jamais. Les gens s'en foutent. Ils veulent le moins cher, le plus facile, le vite fait, vite consommé, vite jeté. Sauf une minorité, et ce ne sont jamais eux qui l'emportent. Devant nous, Rocco tente désespérément de monter Fille. Lui non plus n'y arrivera jamais.

Je n'ai pas le cœur de briser leurs illusions, ni à l'un ni à l'autre.

« Exact.

— Tu crois qu'il y a assez de gens qui ont cette conscience-là pour acheter une application qui les obligerait à tout payer plus cher ?

— Je ne suis pas naïf, je sais que ça prendra du temps. Il faut se comporter avec les gens comme on le fait avec les chiens. »

Les images défilent. Je cours après Francis, qui se sauve, les oreilles au vent, je gratte l'oreille de Rosario, qui ronfle sur sa couverture, couché en boule, je lance la balle à une bande d'hommes d'affaires chinois.

Arrêt sur image, mon patron qui renâcle et résiste, alors que j'insiste d'une voix ferme, un biscuit au foie de poulet à la main : « Assis, aaaaassis. »

Je dois afficher une bouche de poisson rouge hébété, parce que mon jeune mousquetaire s'empresse de m'expliquer sa théorie.

« C'est tellement simple que je m'en veux de ne pas y avoir pensé avant, il suffit d'ignorer les mauvais comportements et de récompenser les bons. »

Brillant. D'une telle simplicité que je m'en veux de ne pas y avoir pensé moi-même. Je vais devoir me trouver un manuel d'éducation canine à l'usage des femmes d'affaires.

« Et ça se traduit comment en termes concrets avec ta *business* ?

— Un système de récompenses proportionnel à la loyauté pour ceux qui achètent dans les commerces affiliés à mon application.

— Et comment tu mesures ton retour sur l'investissement ? »

Son sourire n'a pas fléchi une seule seconde, mais dans ses yeux il y a une acuité que je ne peux confondre avec autre chose que ce qu'elle révèle : une intelligence instinctive et lumineuse qui ne doit rien au savoir académique et tout à la fréquentation assidue des ruelles.

« Tu travailles dans quel domaine ?

— Moi ? »

Je mens. Qu'est-ce que je lui aurais dit ? Que je suis cadre dans une multinationale qui engrange des millions avec des produits jetables, non recyclables, faits de papiers blanchis grâce à des rivières, que dis-je, des fleuves de produits chimiques, et que notre département « vert » est essentiellement un outil de marketing destiné à rassurer les consommateurs en quête de conscience tranquille ?

Non. Pour une fois que Fille se fait un copain qui ne risque pas de lui briser le cœur ni de lui faire une portée de chiots braillards, il n'est pas question de détruire l'illusion. Il faut que je me trouve un métier. Vite.

« Hôtesse de l'air.

— *Cool.* Qui garde ton chien quand tu pars ? »

Merde. Je n'ai pas prévu les départs.

« Mon voisin. Lui, il travaille en usine, il ne part jamais. »

Rosario, danseur contemporain, en usine. Deux mensonges pour le prix d'un.

Et c'est ainsi que je fais la rencontre du plus candide des quatre mousquetaires et que je découvre que derrière ma façade de fille polie à la perfection se cache une rebelle qui ne demande qu'à courir sans laisse.

Au début, on se sent nu, mais il suffit de s'ébrouer et de piquer un *sprint* en direction du premier écureuil en vue pour y prendre goût.

NEIGE

La première neige est tombée. Fine et floconneuse ; on dirait des flocons découpés dans du papier de riz, et la chienne gambade, truffe en l'air, oreilles au vent, trop heureuse de croire au père Noël.

J'ai amené Fille chez la vétérinaire. Quatre fois. (Je songe à téléphoner à mon dentiste pour lui dire que j'ai trouvé un gouffre financier qui bat le sien à plate couture. Je m'abstiens, d'un coup que ça lui donnerait des idées.)

La première fois que nous avons remis les pattes chez Miss Vo, entrepreneur en solitude affective, c'était pour un rappel de vaccin. Je n'aime pas les aiguilles. Véronika a insisté, il fallait que je tienne ma chienne. Douceur et fermeté, me répétait mon Avenger, à qui je n'oserais pas tenir tête de toute façon. J'ai tenu l'animal contre moi et j'ai détourné les yeux, inondée de sueur. Fille s'est laissé faire, docile et conciliante. Sous mes doigts, je sentais la mince couche de gras qui enveloppe désormais son squelette de moins en moins famélique.

D'un point de vue lipidique, notre union est réussie. Par une sorte d'osmose alchimique, elle grossit et je maigris. Le meilleur des mondes.

J'ai failli tourner de l'œil quand Miss Vo lui a pincé un bout de peau pour lui injecter les antigènes destinés à stimuler les défenses nécessaires à son organisme.

J'avais peur que la chienne se débatte, qu'elle me morde, mais surtout, par-dessus tout, j'avais peur de sentir le tressaillement de la souffrance de son corps contre mon corps. Je l'ai senti. Au moment où la doc a poussé le contenu de la seringue dans le corps de Fille. Un sursaut. Quelques secondes. Et puis c'était fini.

Ça doit ressembler à ça quand ils les euthanasient. Un sursaut, une seconde, et puis plus rien. La mort. Le regard de Miss Vo s'est posé sur moi.

« Ça va ? Vous me le dites si vous perdez connaissance.

— Ça va. »

De la sueur coulait le long de mon dos. J'avais mal au cœur. Mais j'étais toujours debout, agrippée au corps musclé de la chienne comme Leonardo DiCaprio à la planche de bois de Rose (il restait de la place sur la planche, j'ai toujours soupçonné Rose d'avoir ainsi trouvé un moyen de se sortir d'un mariage qui se serait très mal terminé).

« Quand vous les… »

Miss Vo a su tout de suite quels mots j'évitais de prononcer. Je n'étais pas la première à poser la question sans assumer les mots qui viennent avec.

« On anesthésie d'abord. À part la piqûre initiale, exactement comme le vaccin que je viens de lui donner, ils ne sentent rien. C'est sans souffrance. »

Sans souffrance. J'ai senti sur moi le regard de la chienne. Son regard brun et doux de bébé gorille qui ne se doute pas que son habitat naturel est menacé de déforestation pour que l'Amérique puisse poser des planchers flottants dans les milliers de bungalows qui la déparent.

Parce qu'on a voulu sauver une chienne du froid, on se retrouve avec un bébé gorille qui se fait soigner par une déesse vietnamienne de *comic book* japonais.

La vie est drôlement faite.

La deuxième fois, c'était pour une espèce de boule sur une de ses pattes. J'ai demandé à Rosario ce qu'il en pensait, et il m'a dit avec gravité : « Peste bubonique. »

Je suis allée chez Miss Vo en urgence avec la chienne. Rosario me servait de soutien moral. Au cas où ce serait sérieux. Dans la salle d'attente, il lisait la documentation sur les vers du cœur, les parasites, les tiques, fasciné.

« C'est plein de dangers, la vie d'un chien.

— Oui, en plus des tiques, il y a des crétins qui les abandonnent en pleine nuit.

— Heureusement, elle est tombée sur toi, et les boxers sont d'excellents chiens de famille. »

C'est devenu notre *running gag*, ce truc de chien de famille. Il me la sort pour me faire grimper dans les rideaux. Ça marche à tous les coups.

« Je n'aurai pas de famille et je ne vais pas la garder.

— Comment vont tes démarches pour lui trouver un foyer accueillant ?

— J'ai mis une annonce sur un site.

— Et ?

— Je ne sais pas. Peut-être que mes critères sont trop élevés. Personne n'a répondu.

— Tu as demandé des lettres de référence ou quoi ? »

Il blague, certain que je n'ai pas fait ça. Puis, devant mon air contrit, il hoche la tête, découragé.

«Tu as demandé des lettres de référence. Tu es incroyable.

— Je ne vais pas la traumatiser une troisième fois avec quelqu'un qui ne se sent pas prêt à s'engager. La prochaine fois, c'est la bonne ou rien.

— Tu parles d'elle ou de toi?»

J'ai haussé les épaules. D'elle, évidemment. L'amour, pour moi? C'est fini. Ce n'est pas un manque d'imagination, cette fois. Ni une attitude pour feindre une indifférence qui me protège d'un quelconque rejet. Depuis la mort de David, on dirait que quelqu'un a éteint la lumière et qu'il ne me reste qu'une veilleuse. C'est assez pour éviter de me cogner contre les meubles la nuit, mais pas pour avoir envie de rencontrer quelqu'un.

«Rosario, je n'aime pas les chiens. Ils sont sales, puants, imbéciles, dépendants affectifs, pleins de puces, ils ne peuvent pas se rencontrer sans se mettre le nez dans le cul de l'autre et ils provoquent des accidents mortels qui tuent les seuls hommes qui aiment encore les filles comme moi. Cette chienne, je ne vais pas la garder, je le sais depuis le début, alors cesse de faire comme si j'allais changer d'idée, ça *n'arrivera pas*! Mais, écoute-moi, écoute-moi bien, Rosario DaSilva, je ne vais pas le répéter deux fois: il est hors de question que je la remette à la rue. Personne, même pas un chien, ne mérite d'être abandonné dehors en plein hiver.»

J'ai dû parler fort, parce que la réceptionniste me fixait avec des yeux ronds, le stylo en l'air et la bouche ouverte. Quant à Rosario, il s'est contenté de poser sa main sur la mienne, tout en flattant la tête de la chienne de l'autre. Je ne sais pas de qui il a le plus pitié, d'elle ou de moi.

Et puis, Miss Vo, cliquetant de ses talons hauts sur le plancher de bois de la clinique, s'est arrêtée à la réception et a prononcé mon nom : « Julia Verdi. » Rosario m'a souhaité bonne chance, et Fille et moi, on a suivi le docteur.

Sur la table d'examen, l'Avenger des canidés a regardé la boule sur le dessus de la patte de la chienne et elle m'a dit : « Vous allez la tenir solidement. » J'aurais dû me méfier. Quand une vétérinaire sort une longue aiguille et qu'elle te dit de tenir ton chien solidement, c'est que ça ne va pas être une sinécure.

Il fallait faire une ponction dans la boule. Pour voir s'il y avait du pus. Ou un cancer. Fille n'a pas du tout apprécié l'intrusion de l'aiguille et, d'un claquement sec, ses dents ont raté la main délicate de Véronika Vo. D'un millimètre. Si je ne l'avais pas tenue solidement, Fille aurait mangé vietnamien.

Véronika n'a pas bronché, peu impressionnée par le coup de gueule de Fille. Elle m'a fait un signe approbateur de la tête.

« Vous voyez pourquoi c'est important de la tenir fermement ?

— Plus t'es solide, moins y a de dommages collatéraux. Limpide. »

Miss Vo a pris le dossier à côté d'elle et elle y a inscrit une note à l'encre bleue : *Mord si douleur.*

Les raisons qui font que ces mots ont pénétré mon cœur comme le sabre d'un yakuza transperce le cœur d'un ennemi, je préfère les ignorer, mais la déchirure de la lame a été immédiate. Profonde.

Mord si douleur.

Dans la boule, il y avait du pus. Et Fille doit prendre des comprimés d'antibiotiques « qu'il faut enrober dans du beurre d'arachide pour l'aider à avaler », a précisé Miss Vo, péremptoire.

Cette fois-là, j'ai appris deux leçons fondamentales : toute morsure naît de la douleur, et une pilule amère et dure est toujours plus facile à avaler quand on la tartine de sucre et de gras.

La troisième fois, c'était pour la grande opération. Miss Vo n'avait pas eu de mal à me convaincre qu'une chienne stérilisée serait plus attrayante sur le marché difficile des adoptions de chiens adultes, beaucoup moins mignons que des chiots. Le contraire des femmes, pour qui il est plus avantageux d'avoir l'ovule avenant et la trompe alerte.

J'ai sorti ma carte de crédit et, quelques centaines de dollars plus tard, je suis repartie avec une chienne amorphe, encore sous l'effet de l'anesthésie. L'effet s'est dissipé, et il a fallu que je la ramène le lendemain, saignant comme un cochon qu'on égorge. Dans un excès de joie à la vue d'un écureuil, elle s'était fait exploser les points de suture. Contrairement à l'épisode de la ponction, on aurait dit qu'elle ne sentait pas la douleur.

Miss Vo a hoché la tête.

« La douleur est bien là, et elle la sent. Mais, face au plaisir, son désir a été plus fort. »

Face au plaisir ? Je préférerais que ma vétérinaire ne s'exprime pas comme une sexologue qui donne son opinion à une de ces émissions de radio où on invite des spécialistes de tout.

À chacune de nos visites chez le Dr Vo, Fille veut voir le chat. Le vieux chat malade de notre première visite. Sitôt la porte de la salle d'examen ouverte, elle file au fond de la clinique, là où sont les cages des animaux hospitalisés. À chacune de nos visites, il est un peu plus maigre, un peu plus bossu de la tumeur, le miaulement plus fragile et toujours aussi affectueux, peut-être même plus. Leur joie de se voir est indéniable, forte. Ils ont un rituel qui me fend en deux chaque fois. Il vient vers elle, gracieux, elle se couche devant lui et lui offre son torse, pour qu'il s'y love. Ensuite, elle entreprend de lécher le chat. Sa tête, ses oreilles, son museau, son cou. Elle évite sa tumeur, sentant probablement qu'il a mal. À la fin, le chat ressemble à Elvis du temps de ses concerts à Vegas, quand la quantité de laque lustrée qu'il avait dans les cheveux aurait suffi à faire tenir l'Empire State Building sur le bord du Grand Canyon. À l'horizontale.

Au jour de ma mort, je voudrais mourir comme ça. Lovée contre le torse d'une bête qui me lèche jusqu'à me transformer en sosie du King.

All shook up.

Les jours suivant sa grande opération ont été difficiles pour Fille. Au parc, il fallait la retenir de courir quand elle voyait Rocco, Oscar, Victor et les écureuils. Plus je la retenais, plus elle tirait. Je devais être la dominatrice de son plaisir et j'y prenais goût, avec un certain sadisme, je dois dire. Non, tu n'iras pas. Tu vas te faire mal, Fille.

Il m'arrive de souhaiter que quelqu'un, n'importe qui, me retienne par la laisse quand mes désirs me nuisent. Non, fille, toi aussi, tu vas te faire mal. Évidemment, je ruerais dans les brancards, je casserais mes chaînes et j'irais me faire mal à fond.

Je ne suis pas un chien, et il m'arrive de le regretter.

Enfin, Miss Vo a retiré les points du ventre de Fille, ce ventre maintenant stérile et libre, et j'ai la permission de laisser courir mon petit boxer athlétique après tous les désirs possibles et imaginables. Quand on est arrivées au parc, il faisait nuit, il faisait froid, mais Fille était si fébrile qu'elle en tremblait de tout son corps. J'ai détaché la laisse et elle a explosé, métamorphosée en feu d'artifice, en carnaval de Rio, en chienne multiorgasmique. Les dernières feuilles mortes revolent, la terre aussi ; c'est une fusée, une bombe atomique.

Je croise Rocco et son maître. Ils sont aussi surpris l'un que l'autre de voir tant d'ivresse euphorique chez un quadrupède.

« Wow, dit d'Artagnan. Elle en avait besoin.

— C'est peu de le dire. Même Rocco ne suit pas. »

Et nous savons tous les deux que ça n'arrive jamais que Rocco ne suive pas. Même s'il se défonce pour rattraper Fille, tel un Usain Bolt des chihuahuas, il n'y parvient pas. Fille a décidé qu'elle ne l'attendait pas, qu'elle n'attend plus personne. Elle court.

« En tout cas, je suis contente qu'elle ait trouvé Rocco », dis-je à d'Artagnan.

D'Artagnan hausse un sourcil – qu'il a fourni – inquisiteur. Je ne sais pas ce qui m'a pris de lui dire ça.

«Je n'en pouvais plus de la voir se pâmer pour cet imbécile d'Oscar qui se laisse courir après par toutes les femelles et qui trouve le moyen de la mordre juste parce qu'elle veut un peu d'attention.»

C'est sorti d'un jet aussi dru que la vitesse de ma chienne au cent mètres. Pas joli, pas poli. Devant nous, Fille continue son cirque alors que Rocco s'est couché, haletant, incapable de tenir le rythme.

«Comment ça avance, tes affaires?

— C'est dur. Je travaille cinq soirs par semaine comme barman et je monte ma boîte le jour.»

De fait, sous le lampadaire du parc, il est cerné jusqu'au menton, le petit.

«Tu ne peux pas faire ça, c'est trop. Une *business*, si tu veux que ça marche, faut que tu y consacres tout ton temps.»

Il se met à rire, en hochant la tête.

«Et je vis comment si je ne gagne pas d'argent en attendant que ça décolle?»

L'argent. Maudit argent. Son dilemme est cornélien. Pas d'argent, pas de business. Pas de business, pas d'argent. Il faut que quelque chose cède quelque part. Mais où? Il me sourit, à nouveau lumineux.

«Je vais y arriver. J'sais pas quand ni comment, mais je vais y arriver.»

Pour la première fois depuis qu'il me parle de ses projets, je sens qu'il a peut-être une chance. Elle n'est pas bien grosse, mais elle est là.

Je sais exactement comment il devrait procéder pour organiser ses affaires, lui donner un coup de main. Il faudrait seulement que…

« Au fait, merci, me dit-il, interrompant mes directives mentales.

— Je n'ai rien fait.

— Tu es la seule à qui j'ai parlé de mes projets qui ne m'a pas dit ce que je devrais faire. Tu m'as juste écouté. Est-ce que tu sais à quel point c'est rare, les gens qui se retiennent de donner leur opinion, surtout à quelqu'un qui se débat ? Je ne connais pas ton nom, et tu m'as plus aidé à clarifier ma pensée que tous les amis de longue date à qui j'en ai parlé et qui tenaient tous à me dire ce qu'ils feraient, eux. »

Pour la première fois depuis des mois, je ris. Et plus d'Artagnan insiste pour connaître la source de mon hilarité, plus je perds le contrôle de mon fou rire.

S'il savait.

Sans doute pour me faire taire, il m'invite à prendre un café chez lui. Ça marche. J'arrête de rire, d'un coup, estomaquée. Ce n'est pas tant que je sois attirée par lui, enfin, je ne crois pas, c'est que je ne me souviens plus de la dernière fois où je n'ai pas été obligée de faire les premiers pas pour me retrouver en tête à tête avec un homme.

Rectification. En tête à tête avec un garçon qui a l'air d'avoir dix-neuf ans et qui a jugé opportun d'affubler son chien d'un nom de star porno italienne.

D'Artagnan

C'est tout petit, chez lui. Un lit, que j'ignore avec superbe, dans un salon double qui semble lui servir de chambre, une table de cuisine encombrée de bouquins, deux chaises, un ordinateur, un pot de café presque vide, un cendrier presque plein.

Spartiate.

Si ce n'était ce coquet coussin bleu royal pour Rocco, installé juste à côté de la table, et la vaisselle qui sèche près de l'évier, on pourrait se croire dans la cellule d'un pénitencier. Des murs peints en blanc, aucun bibelot, pas une plante verte à l'horizon. Il n'y a même pas de rideaux à la fenêtre qui donne sur le balcon du voisin. Sous la lumière du plafonnier, je prends conscience de mon bonnet gris, des cernes que j'ai certainement sous les yeux, de mon accoutrement de fille qui va au parc avec son chien. Rien pour plaire.

Ça tombe bien, je n'ai aucune envie de plaire. Je ne sais même pas pourquoi j'ai dit oui à son invitation. En fait, je n'ai pas dit oui. Nous avons marché jusque chez lui, c'était sur mon chemin pour rentrer chez moi, et je suis montée.

Il me débarrasse de mon manteau pendant que Rocco tourne en rond comme un fou, sans doute pour impressionner Fille, qui en profite pour s'installer sur le coussin. Un boxer sur un coussin de chihuahua, ça déborde de partout. Rocco n'a pas l'air de se formaliser, il attend son *lunch*.

Je ne connais toujours pas le vrai nom de d'Artagnan. Ni lui le mien, d'ailleurs. Est-ce qu'on peut s'asseoir sur une petite chaise de bois dur (du frêne) dans la cuisine d'un garçon dont on ne connaît pas l'identité? Il semble que oui.

D'Artagnan ouvre une boîte de nourriture pour Rocco et se tourne vers moi:

«Ta fille a faim? Je peux lui en donner?

— Elle ne mange pas de nourriture pour chiens.»

Exprès pour me contredire, Fille quitte le coussin et rejoint Rocco, attendant sa pitance sagement assise à côté de son compagnon de jeu. Je regarde d'Artagnan sortir un bol de l'armoire, y verser le contenu de deux cannes pour nain de jardin canin et se tourner vers ma chienne: «Assis, Fille.»

Elle s'assoit, me jetant un regard du coin de l'œil, l'air de me dire: «On va lui donner ce qu'il veut et je pourrai manger.» Ce qu'elle fait, vidant le bol en trois coups de langue devant un Rocco médusé par sa vitesse de frappe.

Le silence est confortable, et je ne cherche pas à le briser. Pour dire quoi? Je lui ai menti sur tout. Tout n'étant pas grand-chose, il est vrai, mais quand même, autant me taire. Il ne met pas de musique, ce que j'apprécie, et s'affaire dans le frigo, sur le comptoir et dans un chaudron. Très vite, ça sent délicieusement bon. Je suis affamée. Depuis que j'ai recueilli ce chien, j'ai tout le temps faim.

«Depuis que j'ai recueilli ce chien, j'ai tout le temps faim.»

Il ne se retourne pas, se contente d'ajouter du sel, du poivre, de râper du parmesan. Déjà, avec le fromage, il a toute notre attention, à Fille et à moi.

«Avoir un chien, c'est être dehors. Ça donne faim.

— J'ai peur de grossir.»

Il se retourne, surpris.

«C'est drôle cette manie des filles minces d'avoir peur de grossir.»

Mince. Il a dit mince. Il a le tour avec les filles, ce garçon. Il me sert, sans façon, la cuillère déjà dans le bol. Il n'a pas lésiné sur le parmesan, qui fond et se répand. Il tasse une pile de notes et s'installe à côté de moi. On mange. En silence. C'est une soupe avec des morceaux de viande, des fèves et des épices, dans un bouillon riche et rouge qui me rappelle les soleils de Chine. Je lape le contenu de mon bol, oubliant mes manières. Une goinfre.

Un truc me chicote quand même : «Pourquoi est-ce que tu ne veux pas des idées des autres ?»

Il prend son temps. Il mange plus lentement que moi, méthodique.

«Parce qu'ils ne me donnent pas leurs idées pour m'aider. Ils me les donnent pour imprimer leur marque sur mon projet. Je n'ai presque rien, mais ce que j'ai – mes idées, mes projets, mes trucs – c'est à moi.»

Il a énoncé ça avec calme, mais quelque chose dans le ton de sa voix me dit qu'il défendrait son territoire dans le sang si des intrus s'avisaient d'y entrer sans permission.

Sa phrase me fait réfléchir. Est-ce pour imprimer ma marque sur les projets des autres que j'insiste tant pour donner mes idées ? L'écharde qui taraude ma conscience m'incite à penser que c'est ce que je fais.

Est-ce faute de m'occuper de mes propres projets que j'envahis ceux des autres ? Ai-je seulement des projets qui me sont propres ?

La réponse est choquante. Je n'en ai pas. À part monter dans l'échelle salariale et rencontrer quelqu'un qui fasse de moi une femme honorable en prouvant à tous ceux qui m'ont ignorée que je suis digne d'être aimée, je n'ai aucun projet. Pas d'ascension du Machu Picchu, pas de traversée de l'Atlantique en solitaire, pas de leçons de piano pour passer à travers les *Variations Goldberg*.

Rien. Même pas la volonté d'apprendre à ne pas laisser crever les trois géraniums que je persiste à mettre sur mon balcon, histoire de ne pas passer pour celle qui laisse son balcon à l'abandon. Je fais les choses pour prouver que je peux les faire, mais je n'ai aucun désir de les faire, aucun sens de l'accomplissement personnel, aucun projet qui soit le mien, uniquement le mien.

Alors je répands mes idées sur les projets des autres et je reste ce bon petit soldat au service de généraux qui n'hésitent pas à me retirer de l'échiquier quand je prends trop de place. C'est lamentable.

« Et puis, les idées, celles qui sont bonnes, ne peuvent pas naître de l'ignorance, poursuit mon jeune compagnon. Si je te donnais des idées sur ta façon d'exercer ton métier d'hôtesse de l'air, comme je n'y connais rien, je dirais des conneries. »

Heureusement que d'Artagnan me rappelle que je suis hôtesse de l'air, je l'avais complètement oublié, et heureusement que, habité par une belle conviction, il continue sur sa lancée : « Les gens n'ont pas besoin qu'on leur dise quoi faire. Ils ont besoin qu'on écoute ce qu'ils ont à dire et qu'on le prenne en considération avant d'émettre une opinion. »

Il a raison. Je ne compte plus le nombre de fois où je suis sortie de réunion enragée de ne pas avoir été entendue. Et en ayant probablement fait grimper mes collègues dans les rideaux par ma totale absence d'écoute. Ce garçon réfléchit avec plus de maturité que la plupart des gens que je fréquente. Dont moi.

« Tu as quel âge ? »

Il lève les yeux de sa soupe. Il a une peau de bébé, des yeux d'enfant bordés de longs cils noirs et le sourire narquois du loup qui s'y connaît en louves.

« L'âge de faire de la prison pour adultes. »

Excellente réponse, qui me rassure tout de suite. Il désigne mon bol vide.

« Tu as encore faim ?

— S'il en reste, je veux bien… »

Il dépose sa cuillère. Et puis, il m'embrasse. Avec douceur et fermeté, pour limiter les dégâts, dirait le Dr Vo. Sa bouche a un goût de poivre. Ses mains se posent sur mes cuisses, sur ma nuque. La douceur de ses lèvres fait revivre David à la surface de ma peau, comme une poche de thé qu'on plonge dans l'eau bouillante et qui libère tous ses parfums. J'étais promise à la bouche d'un homme que j'aimais, il est mort, me voilà donc à recevoir le baiser de cet autre homme, bien vivant celui-là.

Le choc thermique est grand, et moi toute petite.

Le maître de Rocco quitte ma bouche, recule pour mieux me regarder. Ses yeux noirs me rappellent ceux de Fille, ceux des bébés gorilles, ceux de Rosario. Les yeux bleus sont spectaculaires, mais les yeux noirs vous emportent avec eux dans les eaux veloutées d'un lac qui ne rend pas ses noyés.

« Ça va ?

— Je ne sais pas.

— Tu veux qu'on arrête ? »

Ses mains sont toujours sur mes cuisses. Je peux respirer son odeur, savon blanc et assouplissant à linge sur fond de parmesan. Je n'ai pas fait l'amour depuis Francis. À qui je me sentais toujours obligée de prouver que j'étais une bonne maîtresse, douée et expérimentée, incontournable et inoubliable. Tu parles.

« Je suis trop vieille pour toi.

— Tu dis vraiment des conneries pour une fille qui est censée avoir fait le tour du monde.

— Je tenais à être honnête.

— C'est fait. »

Il se fout de ma gueule, c'est très clair. À côté de nous, les chiens dorment. Rocco prend toute la place sur son coussin, mais Fille a réussi à le circonvenir et à grappiller un bout de tissu doux et bleu pour sa tête, bien collée sur le cul de Rocco. Ils ne se posent pas tant de questions, eux.

D'Artagnan suit mon regard sur les bêtes et hoche la tête.

« Je suis plus généreux que mon chien, je suis prêt à te laisser tout l'oreiller.

— Tu as l'intention de me laisser dormir ? »

Il prend de nouveau ma bouche, facile, facile. J'ai l'impression de tromper David. Et en même temps, de m'en libérer. Si les chiens s'en foutent, pourquoi pas moi ?

« Tu t'appelles comment ?

— Rodolphe.

— C'est un vieux nom.

— Mes parents ont beaucoup trop regardé de films de cape et d'épée.

— Ils ont bien fait : tu ressembles à d'Artagnan. »

Nous cessons de parler. Lui au volant d'une décapotable et sachant très bien conduire d'une seule main, moi profitant de l'évasion, le vent dans les cheveux et le cerveau en vacances. Son corps est mince, nerveux et dense. Je redécouvre le mien, délesté de plusieurs couches de gras, musclé et d'une insouciance que je ne lui connaissais pas. J'ai l'impression de faire l'amour avec deux étrangers. Lui et cette fille inconnue qui a ravi mon corps pour le faire sien.

Rodolphe tient promesse pour l'oreiller, ce qui est inutile, puisque nous ne dormons pas. Ou si peu. L'aube me trouve alerte et pressée de partir. Il me rattrape d'une main qu'il enfouit entre mes jambes, remontant à la source de ma volonté. Je n'en ai pas. Je m'en fous. Il me fait l'amour encore, si jeune, si sûr de lui et du plaisir qu'il me procure.

Je sens tout à coup une présence. Ou plutôt deux. Des halètements qui ne sont pas les nôtres. Rodolphe tourne la tête en même temps que moi. Au pied du lit, sur la couverture qui a pris le bord dans l'impatience de nos ébats, Fille et Rocco nous fixent, l'œil impatient et la vessie pleine.

C'est en me levant du lit que je vois les photos. Collées à même le mur. Toutes en noir et blanc. Certaines en sépia. Ce sont des images du parc, ses images. Tous les chiens y sont : Lola, Méthadone, Victor, Rocco, Fille... Fille qui s'élance pour embrasser Oscar, tout son corps en apesanteur, chienne volante en manque d'amour. Des maîtres, le photographe n'a saisi que des bribes, une nuque, un regard, une caresse, mais c'est assez pour qu'on les reconnaisse. Je n'avais jamais vu ce regard coquin chez la maîtresse de Victor, mon Anglaise au bichon, ni cette délicatesse du vendeur de dope bling-bling quand il distribue une caresse à ce grand dadais de danois dont j'oublie toujours le nom. Et là, une fatigue, saisissante, dans les épaules voûtées du maître d'Oscar et de Lola, qui hèle ses chiens d'une main hésitante.

Au bout de la série, une mince silhouette de dos tend un biscuit à cette pauvre Fifine qui a peur de tout, sauf cette fois-là. Une envolée de cheveux fous qui sort d'un bonnet de laine orné d'un écusson en ancre de bateau. C'est moi.

Je ne m'étais jamais vue gracieuse. Sur cette photo, je le suis. Cette attention à la beauté des gens et des bêtes ne m'est pas réservée en exclusivité. Dans l'œil de Rodolphe, nous sommes tous beaux. Comme s'il nous avait saisis, nous, les gens du parc, dans un moment de perfection désinvolte, à notre insu.

« Je n'avais jamais remarqué que tu avais un appareil photo, dis-je en ramassant mon fuseau de course.

— Je ne l'ai pas toujours.

— Rodophe…

— Oui ? me dit-il, pressé, boutonnant son jean.

— Tu imprimes encore sur papier.»

Il se tourne vers moi. Me décoche un sourire de gamin qui se fait prendre à faire sauter des pétards sous la galerie d'une vieille dame.

«Ce n'est pas une vraie photo tant qu'elle n'est pas imprimée sur papier. Je n'ai pas l'intention de les recycler non plus, ajoute-t-il, narquois. Ne va pas me dénoncer à mes investisseurs.

— Tu as trouvé des investisseurs ?

— Non.»

J'esquisse un sourire, en espérant qu'il est encourageant, en espérant qu'il dissimule mon sentiment de victoire. Le papier, ce papier maudit qui exige qu'on dévore des forêts en son nom, enfant de la drave et de la pâte de bois, est encore le vainqueur. Pour tamiser l'éclat d'une ampoule, moucher un chagrin ou punaiser la beauté de simples citoyens sur le mur blanc d'un jeune homme qui m'a donné sa nuit, il n'y a que lui.

Unique.

Nous sortons les chiens dans la neige fraîche, de la buée plein la gueule et le ventre vide. En ce début d'hiver, le jour n'est pas encore levé, et je quitte mon jeune amant sur le coin de la rue, dans le noir, sans l'embrasser, sans me retourner.

La chienne se met à courir, impatiente, et je cours avec elle jusqu'à notre appartement, si beau, si luxueux, si loin du dénuement de celui de Rodolphe et Rocco. Je n'ai pas dormi de la nuit, mais, malgré la fatigue, je me vautre dans la beauté éthérée de ce matin d'hiver couleur charbon où les premiers rayons roses scintillent sur la ville qui se réveille à peine.

Nos pas glissent sur la fine couche de sucre laissée par les nuages de la nuit, nos souffles s'accordent, nos estomacs grondent en même temps. C'est une bonne chienne.

Au coin de ma ruelle, je la libère de sa laisse, comme d'habitude dans cette allée où il n'y a pas de circulation, et elle ouvre le chemin qui mène vers la maison, lâchant son fou dans la neige folle. La fenêtre de Rosario est encore noire, il dort. Mais celle de mon voisin au bébé s'allume, et une silhouette effondrée apparaît en ombre chinoise. Le premier boire sans doute. Pauvres eux.

Tout à coup, alors que je suis presque arrivée devant l'escalier arrière, la chienne s'arrête, le poil hérissé, aux aguets. De sa gueule s'échappe un grondement sourd. C'est la ruelle où elle a été abandonnée, nous l'avons empruntée déjà cent fois sans qu'elle semble traumatisée par le lieu.

«Je ne vais pas te laisser là, grosse nouille. Viens.»

Je m'avance sans elle, persuadée qu'elle va me suivre, et c'est là que je vois les traces de pas sur la neige immaculée. Des pas d'homme qui descendent en direction de l'appartement en demi-sous-sol de mes voisins, ceux qui n'avaient pas assez d'argent pour acheter un des étages du haut. Tout à coup, il est devant moi, imposant dans une parka beige qui pue l'essence et la sueur. Une masse qui me bloque le passage et me retient par le bras.

Le temps d'un jappement que je ne lui ai jamais entendu, la chienne est sur lui, les crocs sortis, le regard fou. Il recule, essayant de se dégager, en vain. Elle ne le lâche pas, et son grondement roule comme un moteur huit temps en surchauffe.

« Rappelle ton chien, rappelle ton chien ! »

En une seconde, je suis envahie d'un sentiment réconfortant et exaltant : je suis protégée, armée, gardée, comme un bien précieux, une enfant chérie. La bête me défend.

Jusqu'à la mort, a dit Miss Vo.

Je l'avoue, la mise à mort est tentante et, pendant quelques secondes ivres, j'ai envie de céder et de laisser ma féroce gardienne déchiqueter celui qui n'aurait pas hésité à m'agresser.

Je renonce. À regret.

« Fille ! Non ! NON. »

Je la tire par le collier et, sentant ma main sur son cou, elle obéit, frémissante de rage. L'homme s'enfuit. On dit souvent que le chien est le meilleur ami de l'homme. C'est faux. La chienne est le meilleur ami de la femme. Si notre lien s'était tissé dans la chaleur de mon appartement, au fil de montagnes de parmesan sur les fettuccine Alfredo et de la complicité de nos sorties de course quotidiennes, il est maintenant soudé par la rage et la frustration de ne pas avoir pu assouvir ce sursaut de violence. Tuer aurait été divin. Et regrettable. Ce sera pour une autre fois.

Nous montons l'escalier de fer côte à côte, complices d'un crime que nous avons toutes les deux le regret de ne pas avoir commis. J'ouvre la porte sur la chaude douceur de mon appartement, à l'abri des bourrasques de l'hiver et de celles des hommes.

Je pourrais jurer que Fille est soulagée de retrouver ses affaires tant elle se hâte vers son bol, sa couverture, son coin. Comme si l'incident était déjà chose du passé, toute rage disparue. Son devoir protecteur accompli, elle est libre de toute rancœur, il n'y a plus que la satisfaction de se retrouver chez elle après une nuit de bohème avec Rocco.

Je m'accroupis à ses côtés, ma main sur le satin de ses oreilles.

« Brave fille… »

Je n'appelle pas la police. Il faudrait leur dire que j'aurais volontiers laissé les crocs de la chienne vider l'intrus de son sang, ça ferait désordre et, avec ma chance et les droits de tous – surtout ceux des enfoirés qui s'embusquent pour vous attaquer par-derrière –, c'est moi qui me retrouverais au banc des accusés. Autant me préparer à rejoindre la cohorte des diligents travailleurs de la grande industrie. Celle qui permet à des entrepreneurs écologistes de militer en paix tout en imprimant leurs photos sur du papier. J'ai l'air cynique ? Je ne le suis pas. Simplement émerveillée devant l'ampleur de nos contradictions. L'humanité est vaste, et le jugement bien pauvre.

Pendant que je me déshabille pour entrer dans la salle de bain, j'entends un grognement, de satisfaction cette fois. Celui de la chienne qui a mangé, qui se laisse tomber sur sa couverture et se love contre sa douceur assouplie par l'industrie de la lessive.

« Au fait, c'était bien, ta nuit avec Rocco ? »

Elle ouvre un œil morne, me jette un regard qui semble dire : « Tu rigoles, il n'a pas été foutu de me laisser un minuscule bout de son satané coussin, s'il me rappelle, il s'en va directement sur le répondeur », et s'endort du sommeil du juste.

Enfin chez elle.

Un parfum de jasmin jaune monte avec la vapeur du jet puissant de la douche. Tout mon corps s'abandonne.

Enfin chez moi.

DESTINATIONS INCONNUES

Vous savez comment sont les gens. Ils veulent absolument savoir ce qui se passe avec Rodolphe. Le seul
ennui, c'est que, pour une fois, je fuis la réponse.

Nous ne prenons pas rendez-vous. Pas plus que
nous n'échangeons nos numéros de téléphone. Nous
ne nous envoyons aucun texto, aucun courriel et nous
ne sommes pas devenus des amis Facebook. Quand on
se voit, c'est au parc avec nos chiens, et par hasard. La
plupart du temps, nous repartons chacun chez nous.
Parfois, je vais chez lui et j'y passe la nuit, à la décou-
verte de son corps souple et dur, et du mien, surtout
du mien, cet inconnu sorti de sa tanière de graisse
pour vibrer avec une vigueur que je ne lui connaissais
pas. Toujours, je le quitte au petit matin, au réveil des
chiens. Nous ne prenons pas le café ensemble. Il ne
vient jamais chez moi, je ne l'ai pas invité et je ne crois
pas que je le ferai.

Je ne sais pas où on s'en va, nulle part sans doute,
et ça m'est égal. Il sent bon, il me laisse un oreiller, il
sait y faire avec les bêtes, et mon cœur en deuil n'en
demande pas plus.

Mais Rosario, oui. Il est en train de siffler un excellent blanc de la vallée du Rhône comme si c'était une
piquette de semaine, tout ça parce qu'il veut savoir « où
ça mène » avec mon « amant au chihuahua ».

«Rosario, ça fait des années que tu me dis de lâcher prise, de carper le diem à gogo et, là, c'est toi qui me pompes l'air avec où ça s'en va?

— C'est justement parce que tu n'es pas comme d'habitude que ça m'intéresse.

— Comme d'habitude étant…?»

Je bloque aussitôt sa réponse d'un geste, je ne veux pas l'entendre, je la connais, sa réponse. D'habitude, c'est: obsessive, compulsive et intrusive. Comme Fille avec Oscar. Vaut mieux changer de sujet.

«Donc, si je suis différente de d'habitude, c'est que ça doit mener quelque part?

— Je ne t'ai jamais vue comme ça.»

Je lui demande de définir ce «ça» beaucoup trop flou et mystérieux.

«Tu es comme une île qui sait qu'elle sera frappée par la vague.

— Je ne comprends rien à tes métaphores brésiliennes, Rosario. Exprime-toi clairement ou garde tes opinions pour toi.

— Ce n'est pas brésilien, c'est Gainsbourg.

— Je ne comprends pas plus où tu veux en venir avec tes histoires de vagues.

— Eh bien, disons qu'avant tu avais tendance à négliger ton île nue au profit de la vague incessante.»

Je ne suis pas certaine de vouloir savoir où il veut en venir, mais je suis sûre d'une chose ou deux: ce n'est pas flatteur pour moi, et il m'énerve. Solide. Je tends la main vers la bouteille pour remplir mon verre, elle est vide.

«Tu as tout bu!

— On dirait bien.

— Et moi ?

— Aucune importance. Va t'habiller, on sort. »

Je suis habillée. Très chic même. Un tailleur-pantalon Armani anthracite, dont la coupe cintrée met en valeur la nouvelle finesse de ma taille, et un chemisier de soie lourde dont la couleur crème illumine le visage de celle qui le porte, en l'occurrence, moi.

Aux yeux de Rosario, ça ne va pas du tout. Lui, il peut porter un fuseau noir et un col roulé, et les dieux descendent du ciel pour assister à la représentation. Moi, non.

Il est debout dans l'antre de mes costumes, devant mes vêtements classés par couleur, et ses doigts élégants butinent, volages, impatients. Puis, d'un geste sûr, sa main s'arrête sur le chiffon d'une robe.

La robe émeraude de la journée qui aurait dû marquer mes retrouvailles avec David. Celle que je voulais jeter. Que j'aurais dû jeter.

« Pas celle-là, Rosario.

— Celle-là, Julia.

— C'est la robe que j'avais mise pour… »

Sa main glisse sur la robe, jusqu'à la taille, une caresse, une volute, un frisson.

« Je sais, me dit-il, doucement. Viens, je vais t'aider. »

Il descend la fermeture éclair de la robe, attendant que je me déshabille devant lui pour me l'enfiler.

« Allez, allez, cesse de penser, la vie passe ! Tu t'imagines que je n'ai jamais vu de filles en sous-vêtements ? Je travaille avec des danseuses, j'ai tout vu, crois-moi. »

Des danseuses. Filles graciles au corps parfait. Ce qu'il ne fallait pas dire. Rosario lit l'affolement dans mes yeux, me rassure.

« Ça va me faire du bien de voir autre chose qu'un paquet d'os, allez.

— Tu viens de me traiter de grosse ou quoi ?

— C'est pas possible avec vous, les filles. Il n'y a pas moyen de vous faire un compliment sans recevoir une objection en retour. Comment ils font, les hommes qui veulent vous faire plaisir ? Je deviendrais fou, moi.

— Si j'étais un garçon, tu aurais dit la même chose ?

— Si tu étais un garçon, tu serais déjà toute nue ! Dépêche-toi ! »

Mes doigts trouvent les boutons, les fermetures éclair, je laisse tomber ma veste, mon chemisier, mon pantalon. Je sens le regard de Rosario sur mes sous-vêtements sages, trop sages. Je sais, je sais.

« Beiges.

— Ça ne se voit pas sous mon chemisier blanc.

— Julia, tu…

— Tais-toi et aide-moi. »

J'enfile la robe émeraude. Sa soie fine caresse ma peau, elle flotte sur ma taille, trop tard. Rosario remonte la fermeture éclair, je sens ses mains qui glissent le long de mon dos, qui reviennent sur ma taille, qui l'apprécient.

« J'espère que tu sais que ça te va bien. »

Je sais. Quelque chose en moi continue de chamailler pour la grosse fille que j'étais. Toujours ce foutu besoin d'avoir raison, alors que je sais que j'ai tort.

«Tu ne crois pas qu'une fille puisse être belle en étant ronde, Rosario?

— Ma mère est très grosse et elle est très belle. Toi, non. Toi, tu te cachais. Une fille qui se cache ne peut pas être belle.»

Touché… Ce nouveau corps, je ne l'ai pas souhaité. Mais la mort de David m'a coupé l'appétit, la chienne m'a obligée à renouer avec mes muscles, et le corps est sorti de son refuge, comme un enfant oublié qui ne quitte sa cachette que lorsqu'on ne le cherche plus.

Et maintenant, il flotte dans une robe de chiffon émeraude.

Couchée devant la porte de la penderie, la chienne nous regarde d'un air piteux. Elle sait qu'elle ne vient pas.

L'ÎLE

Le taxi nous dépose devant un club au nord de la ville. Rosario m'entraîne, déjà ailleurs, déjà dans des contrées dont j'ignore tout. J'ai de vagues souvenirs d'avoir laissé mon manteau, d'avoir reçu un verre dont j'ignore la provenance, de l'avoir bu et de m'être sentie envahie par la chaleur. La musique est forte, je ne connais personne, mais Rosario, lui, est connu, embrassé, salué et cajolé par tous. Il est l'enfant chéri, le danseur prodigieux, le sourire à mille piasses. Je mets quelques minutes à m'habituer à la pénombre, aux voix, aux étreintes, aux déhanchements, aux parfums lourds et à ces corps, hommes, femmes, travestis, trans, qui se pressent autour de moi, marée humaine, ondulante, odorante et bigarrée. Partout où je pose les yeux, quelqu'un s'abandonne, la peau lustrée par la sueur, la gorge assoiffée, l'œil fardé.

Je suis la seule Blanche. Minorité visible et blême. Sans saveur, sans couleur sauf pour la robe. Émeraude, la robe.

Je ne danse pas, j'ai trop chaud et je me demande ce que je fais là quand Rosario m'entraîne sur la piste. Je lui fais signe, désespérée : « Je ne sais pas danser, je ne sais pas danser. » Il me tend son verre, je le bois, et ça y est, je sais danser.

Il me dirige, me tient, me ploie, me fait tourner, onduler, tanguer, m'étreint et m'attire à lui, plus près, toujours plus près, jusqu'à ce que nos corps en sueur s'épousent parfaitement. J'ai cessé de résister. De penser qu'il est un merveilleux danseur et moi une patate, qu'il préfère les hommes, que c'est mon ami, que nous ne…

J'ai cessé de penser.

Entre mes mains, ses reins, ses fesses, ses épaules, ses hanches. Un incendie fait rage dans mon ventre, la sueur coule entre mes seins, ma nuque, mon sexe et mes aisselles sont inondés. D'autres corps que le sien déferlent sur le mien, languides et perlés d'écume. J'ai cessé de penser, de lutter, de raisonner. Je danse.

Assoiffée, je fais signe à Rosario que je vais au bar. Il me suit, je sens sa main qui me guide, posée au creux de mes reins. Une bouteille de champagne fait son apparition devant nous, déposée par une main baguée d'or et de diamants que je reconnaîtrais entre mille : celle du maître de Méthadone, le chien-saucisse de mon parc. Je lève les yeux, c'est lui. Il m'embrasse, m'étreint comme si j'étais une amie, ou plutôt une maîtresse dont on se souvient avec plaisir.

Rosario se penche à mon oreille, se bat avec les percussions lascives d'un kompa pour se faire entendre.

« Tu connais Maurice ?!

— Parc à chiens ! »

J'ai crié. Il n'a pas entendu. La musique est trop forte. Maurice me tend une flûte de champagne, que je vide comme si je sortais d'une longue traversée du désert avant de me pencher vers Rosario et de mimer la forme d'un chien-saucisse. Geste malheureux, qui me vaut les rires de Rosario et de Maurice. J'apprends du même coup que Maurice Dupage n'est pas un caïd de la drogue, mais le propriétaire du club et de plusieurs écoles de danse.

L'image d'un chien-saucisse frétillant et facho traverse le plancher de danse, entre mollets galbés et chaussures vernies.

«Mais alors, Méthadone, ça vient d'où?

— Je n'ai pas dit que je n'avais jamais goûté aux plaisirs des paradis artificiels, ma chère», répond Maurice, suave.

Et les deux hommes de m'entraîner sur la piste où les danseurs s'écartent pour nous faire de la place. Nous dansons une partie de la nuit, jusqu'à ce qu'il n'y ait plus de champagne dans la bouteille. Ensuite, je ne me rappelle pas comment, je me retrouve dans un taxi qui sent le tabac blond et la sueur noire, la tête appuyée contre la poitrine de Rosario, mon corps abandonné contre le sien dans une intimité que je ne me souviens pas d'avoir connue avant lui.

Cette nuit-là, ou du moins ce qu'il en reste, je perds connaissance, la tête sur l'oreiller, emportée par un flot d'images et de sensations qui me semblent toutes plus vraies les unes que les autres, presque palpables sous mes mains affamées.

Et je me réveille, lovée en cuillère avec un petit boxer qui ronfle sa vie à trois millimètres de mon visage.

UN OS

Pourquoi les gens se font-ils croire qu'ils tombent amoureux ? D'ailleurs, pourquoi faut-il absolument *tomber* ?
La face à terre, nos fiertés si facilement écrasées par
une chimère tyrannique, futiles résistants devant les
chars, on se fait palpiter l'imagination comme des fous
pour arriver aux mêmes images désolantes d'enfants
devant le sapin de Noël, de chalet où il faudrait installer un lave-vaisselle et d'expéditions au centre commercial en couple…

Quelle est donc cette obsession collective pour
l'Amour qui jette une fille aussi brillante et drôle que
mon amie Élisabeth dans les bras de son crétin de mari
et qui la transforme, un enfant plus tard, en larve d'où
le papillon s'est depuis longtemps envolé ? Sommes-
nous donc si désespérés de nous reproduire ? Si vul-
nérables devant l'assaut des hormones qui envahissent
nos petites cervelles, les laissant magnifier quantité
d'imbéciles et de greluches que nos cœurs éperdus
transforment en guichetiers à qui l'on confie les éco-
nomies d'une vie ?

Pourquoi si bêtes ?

La tête sur l'oreiller, je m'agrippe au drap. Je ne dois
pas céder à la tentation de rêver éveillée. De projeter,
encore une fois, mes fantasmes de lave-vaisselle au
chalet sur un homme parce qu'il m'a tenue dans ses

bras. Hier, beaucoup d'hommes m'ont tenue dans leurs bras. Un seul a hanté ma nuit, et je tais son nom.

N'y pense pas. Lève-toi tout de suite.

Ce matin, trente-sept ans est le nouveau cent onze ans. L'impression qu'un *truck* a déversé ses vidanges dans ma bouche, que ma tête est une bombe, et que la peau de mon visage est un parchemin qui va se déchirer si je cesse de retenir cette grimace de douleur qui ne demande qu'à venir au monde.

Et la chienne qui veut sortir. J'enfile mon manteau, mes bottes, j'ouvre. Je secoue la tête. C'est une erreur.

«Pas le parc, Fille. J'ai trop mal au crâne.»

Elle me décoche un air courroucé et descend l'escalier avec précaution, levant ses pattes chaudes de la surface froide et mouillée aussi vite que possible pour rejoindre la ruelle.

Sur le balcon voisin, la fiancée du comptable play-boy, emmitouflée dans un duvet qui la couvre jusqu'aux genoux, s'agite dans une sorte d'incantation au froid. Image de désolation cernée, de résignation pitoyable. Que fait-elle à geler dehors alors qu'il fait si chaud dedans?

Elle me voit, me désigne l'intérieur du duvet où il semble y avoir de la vie. Le bébé hurleur.

«Il y a juste dehors qu'elle dort», me dit-elle en chuchotant, terrorisée à l'idée de réveiller le monstre des décibels.

Je hoche la tête: j'ai pitié d'elle, servile esclave de son enfant. S'il me restait quelque désir lointain de faire un petit, la vision de cette pauvre fille vient de l'assassiner. Je n'en aurai pas, c'est décidé.

«Je suis désolée pour le bruit, vous devez l'entendre tout le temps. Je ne sais pas ce qu'elle a, le pédiatre non plus, et il faut que je laisse Olivier dormir, sinon il va perdre tous ses clients et, en plus d'avoir un enfant qui ne dort jamais et qui pleure tout le temps, on sera à la rue, pauvres et affamés.»

Ça y est, les larmes coulent, lui rougissent le nez. Merde.

«Ce n'est pas grave, je ne suis jamais là le jour, et le soir, c'est surtout la chienne qui s'inquiète.

— La chienne? Je pensais qu'on n'avait pas le droit d'avoir des animaux ici.

— Et moi je pensais que l'isolation des murs était sous garantie.»

Ça y est, ça se remet à couler de plus belle. C'est le torrent, la tempête, l'avalanche.

«Ce n'était pas un reproche, j'aime les chiens, j'adore les chiens. C'est mon chum qui ne les aime pas, il a un caractère difficile, mais je vous jure qu'au fond c'est un bon gars, un excellent père.»

Qui dort. Pendant que sa femme se transforme en usine à glaçons. Et qui a ignoré mes avances. Surtout.

Elle renifle dans sa main, sans même songer que ça peut être dégoûtant.

Un geignement suspect sort du duvet, allumant une lueur de panique dans les yeux cernés de la jeune femme, ce qui leur donne au moins un certain éclat. Elle se remet à se dandiner sur place pour rendormir le bébé. En vain. Le ton monte. Ça va mal finir.

En bas, la chienne tourne en rond, interminablement, avant de faire enfin sa petite affaire et de se diriger vers l'escalier. Sauf qu'elle ne grimpe pas mon escalier, mais celui de la voisine.

Le bébé hurleur est reparti de plus belle, sa mère saute sur place pour le faire taire, et la chienne arrive en haut des marches. Avec un sourire contrit à mon endroit, espérant faire oublier le vacarme de sa progéniture, ma morveuse de voisine s'agenouille devant Fille, qui n'en a cure et lèche d'un coup de langue rose et baveuse la joue de Petite Fille.

Quelques jours avant Noël, un miracle se produit chez nous. Au contact de la langue du chien – ou est-ce son haleine fétide et apaisante ? –, le bébé s'arrête de pleurer.

Tout à coup, seul le silence. Parfait. Immobile. Douillet sous les flocons qui se sont mis à tomber dans un ballet léger pour célébrer ce pacte de non-agression signé dans la bave et les larmes.

Je regarde la mère. La mère me regarde. Elle se remet à pleurer, de soulagement, une main sur la tête de son enfant, l'autre sur celle de la chienne.

« Elle s'appelle Rose.

— Elle s'appelle Fille. »

Et nous rentrons chez nous, chacune avec notre fille, dans un silence aussi matinal que bienheureux. Il faut parfois savoir s'agenouiller devant les évidences.

PRÉVISIONS

Rosario me hante toute la journée. Au point où, quand je dépose mes prévisions financières pour l'usine de Charleston à Vincent, j'en oublie de détester mon patron. Il m'annonce que je devrai sans doute y aller, sur le ton de l'homme qui s'attend à ce que je sois flattée de l'honneur qu'il me fait. J'ai des envies désespérées de fettuccine au parmesan et de tartare de saumon, enfouie dans le divan. Je me fous de ses honneurs, de son usine et de la Caroline du Sud.

J'essaie d'éviter de penser à hier soir ; au seul souvenir de la piste de danse, mon corps vibre, s'enflamme et se consume. *Damn.* Concentre-toi, Julia. Prépare le plan B pour l'usine de Charleston, qui n'a aucune chance de survie à moins de plonger dans une restructuration majeure. L'épouse du directeur de l'usine pourra me donner tous les flacons de sels de jasmin qu'elle veut, cela n'y changera rien, et nous serons face à l'éternel et déchirant dilemme : éliminer les plus faibles pour rescaper les plus forts, ou n'en sauver aucun. Dans les deux cas, je serai la messagère qu'on aura envie de tuer.

Qu'une chose soit claire, personne ne m'a demandé un plan B pour sauver l'usine. Ce n'est pas mon rôle, et Vincent a été limpide : mes idées ne l'intéressent pas. Mais je suis en avance sur tous mes dossiers et plancher sur la construction d'un radeau me permet d'éviter la libre circulation de mes fantasmes destructeurs. Alors je planche, déterminée, sortant les chiffres, l'historique, les conventions collectives et les conclusions des départements de recherche et développement des autres usines que nous possédons dans le monde.

Il est presque neuf heures quand je quitte le bureau, forcée par la honte d'avoir manqué ma course avec la chienne ce matin et d'arriver trop tard pour la faire ce soir. Si ça se trouve, Fille court en rond dans l'appartement, égratignant le plancher de ses griffes.

Elle n'a rien griffé du tout. Mais elle m'attend avec impatience, sa laisse dans la gueule. Je la fais sortir de nouveau dans la ruelle en lui promettant que « demain, on ira, je le jure ».

Pour le moment, je dois adopter une attitude ferme et douce, afin d'effectuer une manœuvre potentiellement douloureuse sans causer de dommages. Je cogne chez Rosario, avec ma tête de zombie, mes cernes et ma peau flasque. Tant pis. Il faut que je sache.

« Qu'est-ce qui s'est passé, hier soir ? »

Il est frais comme une rose, l'œil clair et le teint d'une pêche mûre. Dans ma prochaine vie, je serai brésilienne.

« Hier ? On a fait l'amour sauvagement, tu étais déchaînée. »

Je dois être grise, parce qu'il se marre.

« Julia, on a dansé.

— C'est tout ?

— C'est déjà beaucoup. »

Tout mon corps me dit que ce n'était pas « que » danser. Tout mon corps me dit que j'ai aussi trop bu.

D'alcool hier et de café aujourd'hui. Je cultive ma dés-hydratation intérieure et je suis certaine que ce n'est pas bon pour mes neurones. Rosario me fait signe d'en-trer. D'où je suis, je vois une bouteille de vin ouverte, restons sagement sur le pas de la porte.

« On a bu. Mais pas trop. Pas tant que ça. Rien pour perdre la tête. On a surtout dansé. Tu étais belle, c'est la première fois que je te voyais dans ton corps et pas juste dans ta tête. Je pense que Maurice a un œil sur toi.

— Ton ami Maurice est un trafiquant à la tête d'un cartel.

— Tu te trompes, c'est un honnête entrepreneur qui fait fructifier son talent dans les plaisirs nocturnes.

— Et qui a baptisé son teckel Méthadone.

— Il a vraiment un chien ? Je n'aurais jamais cru que c'était son genre, un chien. Les gens sont éton-nants, non ? »

Je suis très tentée de saisir la perche de la diversion. Ce sera pour une autre fois.

« Rosario, je me suis réveillée en ayant l'impression que toi et moi… C'est comme si… »

Rosario me regarde droit dans les yeux, affectueux. Je sens quand même qu'il donnerait sa vie pour tenir son verre de vin, l'évasion à portée de main.

« On ne l'a pas fait, je te rassure.

— Je ne m'inquiétais pas. En fait, je…

— Julia. »

Il prend mon visage entre ses mains, avec douceur et fermeté pour éviter les dommages collatéraux comme s'il avait fréquenté le Dr Vo toute sa vie, et il me sourit.

De cet impossible sourire irrésistible et large comme l'océan, contre lequel je ne sais pas me battre.

«Julia, c'est ça, danser.»

Tu veux dire cet abandon, cette intimité, ce désir qui se palpe, s'étreint, se love, ce chaos qui s'invente, se cherche, se trouve, cette anticipation de chaque frémissement, ces peaux qui savent, ce corps de l'autre qui va de soi, cette sueur qui coule, si libre, cette…

Oui.

Hier, j'ai dansé. Et maintenant, viens, Fille, il fait nuit mais tant pis, allons courir, il le faut.

Alors nous courons, elle et moi. Elle, comme un pur-sang : gracieuse, légère, ses pattes qui effleurent à peine le sol, les oreilles au vent, elle vole. Je me conforme à sa foulée, elle s'adapte à mon rythme. Nos pas crissent dans la neige, nos souffles envoient des signaux aux Sioux, nos corps sont des volcans en éruption libérant leur lave rouge sur la neige blanche.

Je perds la tête, je ne suis que des poumons, un ventre, des jambes.

Je suis en vie.

La combinaison

J'ai été convoquée dans le bureau de Vincent. À la fin de l'après-midi, ce qui me laisse croire que c'est pour me congédier. Toute la journée, je répertorie les chasseurs de têtes, je mets mon curriculum vitæ à jour, j'ouvre un compte LinkedIn et je mets mes dossiers en ordre. Ils peuvent m'escorter jusqu'à la porte, je suis prête. J'ai même préparé une enveloppe pour l'itinérant qui se réfugie sous notre porche pour mendier le soir venu. Si mon ego redoute le coup, ma conscience est claire, et je ne suis pas inquiète pour l'avenir. Je suis compétente, méticuleuse et, depuis que je sais qu'on peut faire taire un enfant à coups de langue de chien, je me targue de savoir penser en dehors de la boîte.

La boîte.

Comme moi, vous avez lu partout qu'il faut en sortir pour trouver les idées de génie. Comme moi, toute votre vie, vous avez cherché à cerner les parois de la fameuse boîte, histoire de trouver comment en sortir et récolter le prix Nobel de l'invention du siècle. Comme moi, vous vous êtes tant gratté la tête de perplexité que vous en avez fait de la pelade et que votre coiffeur se sent obligé de vous rassurer sur la repousse éventuelle de vos cheveux dans ce rond nu au milieu de votre crâne, mystérieux comme ces champs de maïs que les entités extraterrestres rasent pour laisser une trace irréfutable de leur passage sur terre.

Penser hors de la boîte. Celui qui a pondu cette idée toute faite, magnifique exemple de prêt-à-penser, est un cloporte. Un hideux mille-pattes, créature maléfique d'une école de marketing qui en a fait son ambassadeur chez des millions d'imbéciles crédules, qu'il distrait en leur faisant croire que leur pensée propre a une valeur pour mieux les utiliser au profit de la grande entreprise. Dans la réalité, 1) les cloportes ont peur des bébés et des chiens; 2) votre patron n'en a rien à cirer, de vos idées de génie.

À midi, je vais courir. Mon bonnet sur la tête, je zigzague dans le quartier des affaires, entre les hommes d'affaires aux ventres gonflés à l'hélium et les secrétaires qui s'habillent toutes pour «la job qu'elles espèrent et pas celle qu'elles ont», leurs cartes de crédit obèses de dettes. Presque toutes cherchent à attirer l'attention des gros hommes puissants, espérant être remarquées pour leur beauté, indignées quand on ne les désire que pour leur cul. De leur côté, les hommes prospères espèrent être remarqués pour leur puissance, insultés quand on ne les désire que pour leur *cash*. Personne ne semble chercher la porte de sortie.

De temps en temps, rarement, je croise une fille qui pourrait être moi. Une fille qui a une carrière. Ou du moins, qui essaie. On se ressemble toutes, la coiffure chic et de bon goût, le rang de perles, la poitrine juste assez augmentée, le tailleur sobre, le Black vissé à la paume, le sourire rare et le talon aiguille griffé. À combien d'entre nous est-ce que les Vincent de ce monde ont dit qu'elles étaient trop agressives et qu'elles avaient trop d'idées?

Trop semble le mot qui nous caractérise, alors que nous nous efforçons avec tant d'acharnement à prouver notre valeur.

Tu t'acharnes trop, me dit Rosario.

Avec douceur et fermeté, m'intime Véronika la vétérinaire.

Tu cours trop après les chiffres et pas assez après les écureuils, insiste Fille.

Pour la première fois de ma vie, alors que je m'élance pour traverser un boulevard à la faveur d'un feu enfin vert, quelque chose dans mon ventre se met en place, j'entends presque le clic caractéristique du coffre-fort au moment où on entre la bonne combinaison et qu'il va s'ouvrir. Pour la première fois de ma vie, à trente-sept ans, qui est parfois le nouveau vingt-cinq, mon corps comprend ce que ma tête a toujours refusé d'admettre.

Ce qui naît du désir doit se faire avec grâce ou pas du tout.

J'entre dans le bureau de Vincent de la Fresnière le souffle court, le sourire large et les épaules délestées de trois tonnes de fonte. Mets-moi dehors, qu'on en finisse.

L'OFFRE

« Il ne m'a pas montré la porte. Il m'a offert une promotion. »

Rodolphe me lance un regard en coin.

« Je le savais que tu n'étais pas hôtesse de l'air. »

Débusquée. C'est ça le piège quand on raconte sa vie. On se révèle, les secrets n'en sont plus, et on se retrouve nue sous un noyer gris un soir d'hiver.

J'ai trouvé d'Artagnan dans le parc; il venait vers moi, par hasard, Rocco dans les bras, son appareil photo en bandoulière, les sourcils froncés et la tuque enfoncée jusqu'aux oreilles. Sous le lampadaire, il a relevé la tête et, en me voyant, il m'a souri. Comme un homme qui est content du hasard. Mon plexus m'a dit que j'étais contente aussi, que c'était à lui que j'avais envie de raconter ce qui venait de m'arriver. Il a déposé Rocco par terre, j'ai détaché la laisse de Fille et, pendant que nos deux bêtes jouaient à « Fuis-moi je te suis, suis-moi je te fuis », nous avons refait le monde.

« Ce qui prouve que mon instinct a des croûtes à manger.

— L'instinct est un affamé chronique, il a toujours des croûtes à manger.

— Pas le tien.

— Parce que j'ai tout de suite su que c'était impossible que tu sois hôtesse de l'air ?

— Pourquoi, impossible ? »

Il me prend par le cou. C'est la première fois que mon jeune mousquetaire a un geste d'affection envers moi en public. La chaleur de mon plexus se répand ailleurs. Décembre est tout à coup d'une douceur soyeuse.

« Parce qu'on ne dit plus hôtesse de l'air depuis mille ans, on dit agent de bord. Et parce que tu es beaucoup trop sauvage pour un travail où tu aurais eu affaire avec le public. »

Je médite sur le sens du mot *sauvage* en ce qui me concerne. En temps normal, avant la mort de David, le sauvetage de Fille, ma liaison avec le maître d'un chihuahua arborant un petit manteau de polar à motifs mexicains et ma révélation sur le fait qu'il faut danser comme on fait l'amour et faire l'amour comme on danse, je me serais vexée et j'aurais tout fermé à double tour. Là, non. Je veux savoir.

« Précise ta définition de sauvage.

— Tu n'aimes pas les gens. Tu es critique, impatiente, et tu n'as aucune sympathie pour ceux qui se réfugient derrière les excuses. »

Portrait d'une précision redoutable. Et fort peu aimable.

« Tu es en train de me dire que je suis quelqu'un d'agréable à fréquenter. »

Il soulève un sourcil éloquent.

« Tu fais aussi des efforts pour ne pas intervenir quand on te confie quelque chose d'important, tu es une excellente partenaire de marches à chiens et tu ne prends pas toutes les couvertures quand tu passes la nuit chez moi. »

Je n'avais jamais pensé que le fait de promener un chien pouvait être une qualité aux yeux d'un homme. Peut-être que c'est parce qu'il a quinze ans de moins que moi?

«Rodolphe, penses-tu qu'avoir un chien est un atout sur le marché des célibataires?

— Ne me dis pas que je te l'apprends, je ne te croirais pas.

— …

— Tu sais combien de filles me sont tombées dans les bras parce que j'avais Rocco comme *wing man*?»

J'aime sa confiance en lui. Jeune, mais déjà bien pourvu en *swag*.

«Tu te sers de ton chien pour qu'il te ramène des filles.

— Tout le temps. Les filles, c'est comme une balle pour lui. Je lui dis "Rocco, rapporte" et il me rapporte les plus belles et les plus menteuses.»

Il faut lui donner ça, ce garçon me fait rire.

Au loin, une fine silhouette, une laisse, un bichon. C'est Victor et sa maîtresse. Sous l'éclairage jaune du lampadaire, elle ressemble à une aquarelle dessinée d'après Tchekhov: toute menue dans sa redingote, emmitouflée dans un châle, son petit chien marchant fièrement devant elle. La neige s'agrippe en boules au poil fin du bichon, on dirait de la barbe à papa.

Elle nous aperçoit et nous salue de la main, complice de ce qu'elle croit être un nouveau bonheur amoureux. J'évite de regarder Rodolphe, craignant le malaise. Il n'y en a pas. La maîtresse de Victor désigne Fille qui

211

gambade, en quête perpétuelle d'un écureuil qui passerait par là, l'imprudent.

« Vous ne lui avez toujours pas trouvé de famille ? Bravo ! »

Sa voix ne pourrait être plus joyeuse. Son sourire ne me félicite pas d'avoir trouvé un homme, mais d'avoir gardé un chien. Je l'aime bien, finalement, la maîtresse de Victor. Je pourrais même avoir envie de relire *Les Misérables*, d'un coup que Cosette soit moins tarte que dans mon souvenir.

Je n'ose pas la décevoir, alors j'évite de lui dire que l'affiche « boxer à donner » est toujours punaisée dans la salle d'attente de la clinique de Miss Vo.

Tous les trois, de la race des humains, nous attendons que les chiens Fille, Rocco et Victor finissent leur rituel « Je te renifle le derrière en quête d'information, tu te précipites sur le mien, nous sommes les champions du *scoop*, les Woodward et Bernstein du parc, à nous le Pulitzer ».

Quand ils ont terminé leur petite affaire, sans égard au civisme et aux bonnes manières, nous nous saluons d'un signe de tête : « Bonsoir. » Comme si nos bêtes ne s'étaient pas mutuellement plongé la truffe au cœur de leur intimité la plus vulnérable.

Mon compagnon de parc me lance un regard d'incompréhension.

« Tu ne vas pas garder Fille ?

— Il n'a jamais été question que je la garde. »

Son silence est pire que n'importe quelle parole, et le malaise, pire que le fait qu'on nous prenne pour des amoureux. Tout à coup, un couinement, des cris.

Derrière nous, la mêlée. La maîtresse de Victor affronte avec courage un berger allemand et un pit-bull, tous les deux déterminés à bouffer du bichon.

Le temps que je réagisse, Rodolphe pique un sprint. Du fond du parc, Fille et Rocco galopent à fond de train vers les agresseurs. Ça jappe, ça grogne, ça couine, et moi je reste plantée là, comme une imbécile, figée par la surprise et la peur. Reprends tes esprits, Julia.

Je fonce à mon tour. Devant moi, Rocco virevolte, les crocs plantés solidement dans le jarret du pit-bull, qui n'arrive pas à se débarrasser de la teigne qui le mord. Rodolphe donne des coups de botte au berger allemand, qui recule, et Fille s'interpose devant Victor et sa maîtresse, empêchant le berger de charger à nouveau. Le pauvre pit-bull est en train de devenir fou, tournant en rond sur lui-même, un chihuahua aux fesses. J'invoque tous les pouvoirs du Dr Vo, Avenger animalière, et je sors ma plus grosse voix : « ROCCO ! »

Le féroce moustique libère enfin le pit-bull, qui s'empresse de se réfugier derrière le berger allemand. Les molosses disparaissent dans la nuit aussi vite qu'ils sont apparus, brigands anonymes en quête de sensations fortes. D'où viennent ces bêtes lâchées lousses ? À qui sont-elles ? Nous n'avons jamais vu leurs maîtres.

Dans le clan des attaqués, plus de peur que de mal. Blotti au creux des bras de sa maîtresse, tremblant, Victor est intact. Le manteau de mon Anglaise est déchiré, mais l'épais tissu a protégé son bras des crocs. La jolie dame blonde amoureuse de Victor Hugo fulmine. Pas contre les chiens, contre les maîtres qui n'ont canalisé ni la fureur ni l'agressivité de leurs bêtes.

«Mord si douleur.»

J'ai parlé tout haut, citant le Dr Vo. La dame me regarde et hoche la tête: «Il faut que ces chiens soient négligés ou maltraités pour attaquer ainsi sans provocation.»

À côté de nous, Rocco, crinqué à l'adrénaline par sa victoire contre un pit-bull, jappe à qui mieux mieux, déchaîné. Rodolphe le soulève de terre, exaspéré: «Ça suffit, maintenant, c'est fini la bagarre.»

Fille est à mes côtés, parfaitement calme. Pour elle, le fait d'attaquer est circonstanciel: un mal nécessaire pour maintenir la loi et l'ordre. Il y a péril en la demeure, allons-y. La paix revient, tout va bien. Elle semble incapable de rancœur ou de ressentiment, tout entière tournée vers l'avenir. On mange quand? Où sont mes chers écureuils? Et à quelle heure puis-je retrouver mon coussin douillet?

Nous raccompagnons Victor et sa maîtresse jusque chez eux, histoire de rester groupés en cas de nouvelle attaque. Il ne se passe rien, et Victor le bichon termine sa marche en trottant avec bravoure jusqu'à l'escalier qui mène à une maison cossue au pignon recouvert de neige, comme dans un conte de fées. La dame nous invite à entrer chez elle.

«Un chocolat chaud? Ou peut-être un solide verre de scotch pour nous remettre de nos émotions?»

Malgré son langage délicieusement désuet, son invitation ne relève ni de la politesse ni des bonnes manières. C'est un phénomène que je n'ai pas vu depuis longtemps: un authentique désir de rendre grâce.

Nous refusons, il faut rentrer. Rodolphe insiste pour que la dame fasse examiner son bras, ce qu'elle balaie du revers de la main.

«Mais non, jeune homme, je vous assure que je n'ai rien. Attendez-moi une seconde au moins, je tiens à vous offrir quelque chose. C'est très modeste, mais j'aimerais vous remercier, mes sauveteurs et nouveaux amis.»

Un homme lui ouvre la porte, l'étreint avec affection, s'inquiétant de la voir escortée, puis de son manteau déchiré. Voilà une femme qui est aimée, me dis-je. Encore une fois, j'ai eu tout faux. Quelques minutes plus tard, elle revient avec un grand sac en papier odorant et chaud. Des biscuits au foie de poulet.

«J'avais dit à Robert de les sortir du four pendant que je promenais Victor. J'espère qu'ils plairont à Rocco et à Fille.»

Nous nous quittons en nous serrant la main et en nous promettant de nous revoir au parc. Nos chiens nous ont permis de nous rencontrer, mais la bataille a fait de nous des amis.

À l'intersection de nos routes, je m'arrête, et Rodolphe se tourne vers moi.

«Julia…»

Je devine ce qu'il va me dire, alors je pose un doigt sur ma bouche. Les mots de notre rupture sont inutiles, superflus. Nous savons tous les deux qu'en traversant la frontière qui mène à l'amitié nous avons quitté la contrée des amants.

Notre histoire est finie.

Je ne sens pas le besoin d'une explication. Et, à ses beaux yeux noirs où je ne lis que l'ombre d'un regret, lui non plus.

Pour la première fois de ma vie, mon ego se tient tranquille, apaisé par la certitude que ce n'est pas un rejet, mais une poussée en avant, affectueuse et virile. Va, ma fille, va.

«Tes soupes vont me manquer.

— Pour le bien de nos chiens, je pense qu'on va être obligés de manger ensemble le plus souvent possible.

— En adultes émotivement évolués et matures.

— Donc, tu ne crois pas qu'on ait besoin d'aller en médiation ?

— À moins que tu ne te mettes à lésiner sur le parmesan, non, je ne crois pas que ce soit nécessaire.»

Il m'embrasse quand même sur la bouche. Très longtemps et très tendrement. Entre nous, Rocco s'agite.

Fille tire sur sa laisse. Elle veut rentrer. Nous partons. Dans la nuit, j'entends la voix de Rodophe, claire et ferme.

«Julia !

— Oui ?

— C'est un bon chien, ta Fille.»

Je sais, d'Artagnan, je sais.

LE CHAT

J'ai évité le sujet autant que possible, reculant l'échéance, mais ce récit n'en serait pas un s'il ne me demandait pas un certain courage, voire un courage certain. Ce n'est pas ce moment d'égarement où j'ai imaginé la possibilité d'une nuit d'amour avec Rosario, ni mon refus de poursuivre quelque chose, même d'indéfinissable, avec Rodolphe.

C'est la mort d'un chat.

Le numéro de la clinique s'affiche sur l'écran de mon téléphone. C'est Miss Vo : « J'ai quelqu'un qui prendrait la chienne. »

Un ange passe, déguisé en écureuil.

Je n'attendais pas cet appel… Enfin, pas à quelques jours de Noël.

« Quelqu'un ?

— M. Saad, un de mes clients. Il a eu des boxers toute sa vie, il vient de perdre le sien et il préfère un chien adulte à un chiot. »

Je me tais, la cervelle en panna cotta, l'estomac barbouillé. J'ai dû manger un truc pas frais ce midi, j'aurais dû penser que ces sushis prêts à emporter constellés de bactéries me causeraient des ennuis. La voix de Véronika Vo me ramène sur terre.

« … il aime beaucoup la marche.

— Quoi ? »

J'ai complètement perdu le fil. Miss Vo poursuit, patiente. « Je vous disais que M. Saad est un fervent adepte des promenades. »

Des *promenades*. Pour tous les autres boxers que M. Saad a pu avoir, peut-être. Mais Fille est une athlète. Fille a besoin de courir. Fille déteste les promenades.

« Il est aussi psychanalyste, libanais et veuf. »

Dix minutes plus tard, nous sommes à la clinique. Pour célébrer l'esprit des fêtes, quelqu'un a décoré le comptoir de la réception de plusieurs boîtes de biscuits en métal, toutes ornées de rubans rouges. Miss Vo, plus ravissante Manga Girl que jamais dans un pantalon moulant noir et des bottes hautes qui laissent présager des combats féroces, nous accueille avec un sourire satisfait. Elle semble contente d'avoir trouvé la perle rare qui veut bien d'un jeune boxer adulte et en pleine forme.

Ou peut-être qu'elle est soulagée de me voir échapper à la responsabilité d'un animal, ce qui serait éloquent sur ce qu'elle pense de mes capacités d'engagement.

Ou peut-être qu'elle est simplement en train de se demander avec quelle farce elle farcira sa dinde, va savoir avec les Avengers, ils ont parfois de drôles de mœurs.

La salle d'attente est déserte. Où est donc le psychanalyste libanais qui veut adopter Fille ?

« Il arrive, dit Véronika, le temps d'enfiler son manteau et ses bottes. »

La clochette de la porte d'entrée tinte, et M. Saad entre, sa casquette de tweed couverte de neige. C'est un monsieur rond comme la lune quand elle est pleine. Aucune aspérité, lisse et douillet. Il a le regard doux de ceux qui ont survécu à tout, même à l'amour, et je me dis qu'il porte bien le nom de Saad, qui rappelle la tristesse. Il se penche tout de suite vers Fille pour lui tendre une main potelée et paternelle. Main qu'elle renifle avec circonspection, tout en remuant le moignon qui lui sert de queue. Juste à son air « Je feins l'indifférence avec ma gueule, mais j'ai le popotin joyeux », je vois bien qu'elle le trouve à son goût.

Fille ingrate.

M. Saad retire son gant et lui gratte le derrière de l'oreille d'une main experte. En voilà un qui sait parler aux femmes. Il s'adresse à Fille en la regardant dans les yeux, l'œil tendre et la paupière tombante, à l'épagneul : « Ah, tu es belle, toi. Vous n'avez pas fait couper ses oreilles, c'est bien.

— Ce n'est pas moi, c'est le… la personne qui l'avait avant moi qui ne l'a pas fait. Abandonner la chienne attachée à un poteau de téléphone par une nuit glaciale semble être le haut fait d'armes de cette personne. »

M. Saad me tend la main. Sa poigne est ferme et sèche, comme je les aime. Derrière ses lunettes cerclées d'or, l'acuité de son regard est immédiatement perceptible. Il ne doit pas être dupe de grand-chose. Veuf, a dit Miss Vo. Je me demande s'il a eu le temps de se réconcilier avec sa femme avant qu'elle se tue dans un accident de voiture.

Notre vétérinaire prétexte un appel urgent et nous laisse seuls dans la salle d'attente, le psychanalyste, la chienne et moi. Je ne me suis jamais renseignée sur le protocole à suivre quand on confie un animal à quelqu'un. Suis-je censée évaluer M. Saad ? Dois-je lui poser une série de questions pièges qu'il saura ou non déjouer habilement pour obtenir la garde de Fille ? Perplexe, je gratte la tête de Fille, trouvant un réconfort à toucher la surface soyeuse de son crâne.

M. Saad ne dit rien. Il enlève sa casquette et attend, patient. Je me demande si c'est son métier de psychanalyste qui l'a habitué à attendre que le client parle en premier, déterminant ainsi d'un trait d'encre noire sur le papier blanc la suite des choses.

Très bien. « Je n'ai jamais consulté ni un psychologue, ni un psychothérapeute, ni un psychanalyste. »

Il lève la tête, me sourit, surpris. Il ne s'attendait pas à ça, je le vois bien.

« Vous sentez le besoin de le faire ?

— Non, je n'en ai pas besoin.

— Certes. »

Fille penche la tête dans sa direction, intriguée. J'ai envie de l'imiter. Peu de gens disent « certes ».

« Vous pensez que j'en ai besoin ?

— Je ne pense rien.

— Vous mentez. »

Il rigole.

« Vous êtes redoutable.

— J'aimerais l'être. Pourquoi voulez-vous adopter ma chienne ?

— Vous avez dit "ma" chienne.

— La chienne que j'héberge le temps de lui trouver une famille.

— Je ne suis pas une famille, mademoiselle Julia, je suis un homme seul, à la fin de sa vie.

— Vous n'avez pas d'enfants ?

— J'ai trois fils, deux filles et sept petits-enfants. Sur cinq continents. Ils ont des carrières, des familles à eux, des vies très pleines. Je *skype*, j'écris tous les jours et, quelques fois par année, nous prenons des avions, des trains et des automobiles pour nous voir. Mais pour l'essentiel, je suis seul.

— Que faites-vous de vos chiens quand vous partez en voyage ?

— Mlle Véronika a un excellent service de garde. Sinon, peut-être pourriez-vous avoir envie de la prendre de temps en temps, histoire de garder un lien.»

Garder un lien. Oui. Non. Je ne sais pas. Je réfléchis, je suppute les possibilités, j'examine l'hypothèse, je…

«La question n'est pas d'en avoir besoin ou non, vous savez.»

De quoi me parle-t-il ?

«La psychanalyse.»

Ah. Juste au préambule, je sens qu'il va me vendre sa salade. Essayer de me convaincre que je devrais consulter, que j'en serais plus éclairée, plus épanouie.

«Ce n'est pas un besoin essentiel, comme boire, manger et survivre. Ça ne sert à rien devant une fièvre hémorragique, une poitrine transpercée par une baïonnette ou un estomac vide. C'est ce que je me suis dit quand je suis allé offrir mes services dans les camps de Sabra et de Chatila au lendemain des massacres de septembre. Ma femme venait de me quitter et…

— Je pensais que vous étiez veuf ?

— De la troisième, oui. En 1982, c'était ma première femme, et elle m'a quitté parce que l'homme de sa vie s'était enfin décidé à défier sa mère par amour pour elle.

— Je ne savais pas qu'on pouvait s'empêcher d'aimer une femme à cause d'une mère.»

Il hoche la tête, lève ses yeux d'épagneul au plafond. Ses sourcils sont des buissons gris, touffus et désordonnés. Fille s'appuie contre ma cuisse, comme elle le fait souvent, dans un abandon lourd qui fait sentir sa présence.

«C'est à la capacité d'un garçon de quitter sa mère qu'on sait qu'il est devenu un homme. On ne peut pas s'opposer à un garçon qui décide de devenir un homme. Je ne me suis pas opposé, et Darina m'a quitté. J'étais dévasté. Le Liban était en pleine guerre civile, et je n'ai rien trouvé de mieux à faire que d'ajouter ma misère à celle des autres, en me disant que leur souffrance me ferait oublier la mienne.»

J'imagine un homme idéaliste, brisé par l'amour et la guerre, trouvant son salut dans l'aide humani…

«Évidemment, personne n'avait besoin des services d'un psychanalyste. Quelqu'un m'a dit: "Si vous voulez aider, prenez une pelle et ramassez les débris." J'ai obéi, et je me suis fait des muscles.

— Des muscles?

— C'est très lourd, les débris, vous savez. Je n'étais pas seul, évidemment. Avec moi, il y avait ces jeunes garçons, ceux qui avaient survécu. Certains avaient vu les membres de leur famille être tués devant leurs yeux, rassemblés sur le terrain de football et exécutés. Tous étaient nés dans ces camps de réfugiés. Ils avaient été éduqués au lait de l'exil, dans cet incubateur de haine et vengeance où ils étaient privés de tout, spoliés de toutes les dignités qui auraient pu faire d'eux autre chose que des bombes ambulantes. Ils formaient une meute de jeunes chiens, maigres, malins et enragés.

— Mord si douleur.»

Il m'interroge du regard, le sourcil gauche relevé jusqu'à la première ride de son front, qu'il a plus profonde que les deux autres du dessus. Trois grosses rides, une par femme qu'il avait aimée, et mille petites rides autour, sans doute des aventures.

«C'est le Dr Vo qui a noté ça dans le dossier de la chienne le jour où elle lui a fait une ponction : mord si douleur.»

Il faut toujours citer ses sources quand on apprend quelque chose de quelqu'un, surtout si la source s'appelle Véronika Vo et qu'elle a mis ses bottes de tueuse à gages. M. Saad m'offre un sourire qui porte toute la tristesse du monde.

«Il y a beaucoup à apprendre des chiens, me dit-il en grattant derrière l'oreille de Fille. Ils font de meilleurs psychanalystes que moi.

— Vous l'avez fait, le ménage des débris ?

— Oui. Je n'étais ni très fort ni très utile, mais je savais écouter, presque aussi bien qu'un chien. Et c'est en m'éreintant aux côtés de ces garçons que j'ai réalisé quelque chose d'important. Quand on croit que ça ne vaut pas la peine de parler, d'écouter, de réfléchir, quand on pense que le traumatisme est si grand qu'il est trop tard pour sauver quelqu'un, que cette personne, cette âme, est dans un tel état qu'elle est perdue pour toujours, engloutie, c'est à ce moment-là, précisément, que ça en vaut la peine.»

Dans la clinique aux néons éteints, éclairée par la seule lampe de la réception, il a dit «cette âme», et tout à coup Fille s'est redressée, l'oreille tendue, frémissante.

Très faible, et pourtant perçant comme un cri dans les décombres, un miaulement. La laisse me glisse entre les mains, les ongles de Fille cliquettent sur le plancher en direction des cages. Elle va rejoindre Zéphyr le chat. Je la regarde aller et je me tourne vers M. Saad :

«Je ne peux pas vous la laisser.

— Je peux vous demander pourquoi, me dit-il, l'œil plus triste que tous les épagneuls du monde entier.

— Je ne suis pas douée avec les mots ni avec les sentiments, et si j'ai le malheur de chercher à m'expliquer, je ne fais qu'empirer les choses, mais je ne peux pas, en tout cas pas ce soir.»

Je le vois bien, il est blessé. Il croyait l'affaire dans le sac, la peau de l'ours vendue, son boxer bien en laisse, et puis non. Un miaulement dans le noir, et l'opération sauvetage est un échec. C'est tout simple pourtant. M. Saad a eu trois épouses, cinq enfants et une ribambelle de boxers avant Fille. Elle ne serait que la remplaçante de ceux qui l'ont précédée. Alors que pour le chat qui se meurt, il n'y aura pas d'autre Fille. Il n'y aura qu'elle, pour toujours.

Voyant que je ne cède pas, mon psychanalyste libanais remet sa casquette et se lève, évitant mon regard.

«Je suis désolée. Vous avez été utile pour ces jeunes garçons, j'en suis sûre.

— Peut-être pour l'un d'entre eux. Peut-être pour deux.»

Un. Peut-être deux. C'est si peu. Pourtant, quand on oublie les chiffres pour dire «une âme», c'est tout à coup énorme. Un ballon plein d'eau qui va éclater.

«Et qui sait si je n'ai pas fait plus de tort que de bien? La rage protège. En la quittant, on entre dans la douleur, et là on se fait parfois submerger. Enfin, j'ai fait de mon mieux.»

J'essaie de conclure notre rencontre sur une note d'espoir. C'est important, la note d'espoir pour un homme à qui on annonce une mauvaise nouvelle. Au chevet de tous les malades, devant chaque histoire tragique, il y a toujours quelqu'un pour dire que «à la fin, quand même, il y a une note d'espoir». Je me demande si cette note résonne comme un *fa*, un *la* ou un *si*. C'est compliqué, les notes d'espoir.

«Je suis certaine que vous leur avez fait du bien, monsieur Saad. En tout cas, que cette expérience a fait de vous un meilleur homme.»

Il hoche la tête, le rictus morne et la résignation triomphante. «Meilleur? Pas du tout. Je me suis dépêché de quitter le Liban et de revenir ici, où j'ai épousé Brigitte, la mère de mes enfants, une femme somptueuse, dépressive et amère, qui a un don pour tuer la joie partout où elle passe et que j'ai persisté à rendre encore plus malheureuse en la trompant à chaque occasion qui se présentait. Et, croyez-moi, j'ai déjà été beau, alors il s'en est présenté beaucoup, des occasions. J'étais un jeune imbécile, je suis devenu un vieil imbécile. Bonne chance avec le chien.»

Bon. Il m'a un peu mordue quand même avec ce «Bonne chance» qui sonne comme un jappement. Il referme la porte derrière lui, les épaules basses, le pas traînant. Je m'en veux de lui avoir fait du chagrin, mais pas tant que ça. Un chat qui meurt a besoin d'une chienne qui l'aime. C'est peut-être peu, mais une âme est une âme, et on sauve ce qu'on peut, rarement ce qu'on veut.

Après, dans la pénombre au milieu du couloir, Fille tient le chat lové contre son torse, l'encerclant de ses pattes, jusqu'à ce que le corps rachitique du félin s'apaise et cesse de lutter. Il ronronne jusqu'au bout, petite cantate féline de la bête qui se sait partir.

Ensuite, Miss Vo prend le chat dans ses bras et l'emporte je ne sais où. C'est la première Avenger que je vois pleurer. Fille se lève pour venir vers moi, je lui mets la laisse et nous rentrons à la maison manger un tartare de saumon et des pâtes ensevelies sous le parmesan.

La note d'espoir, c'est pour les sourds et les malentendants. Pour les autres, il y a le parmiggiano reggiano.

TANTE CÉCILE

J'ai le gâteau aux fruits, les cadeaux, un châle de mérinos rose pour Cécile et un bleu pour ma mère, le vin. Tante Cécile a dit : « Ne fais pas la dinde, je m'en occupe. »

Elle redoute ma dinde. Je dois lui donner raison. La seule fois où je me suis chargée du repas de Noël, c'était infâme même selon les critères de la famille de ma mère, où nul n'est réputé pour ses talents de cordon-bleu. Je ne voyais aucun inconvénient à manger encore des pâtes à la crème et du saumon tout cru, mais ma tante a mis son pied à terre : « Non, Julia, à Noël, on mange de la dinde, c'est comme ça, pas autrement. Et, je t'en prie, cesse de faire ton extravagante. »

Moi, extravagante. Ah. Il fallait bien le regard de ma tante, une femme qui ne cuisine que des menus établis selon le jour de la semaine – mardi, c'est le pâté au poulet –, qui emprunte toujours le même itinéraire pour faire ses courses et dont la seule coquetterie est d'aller au salon de beauté se faire vernir les ongles de la même couleur – *Explosion de beige* – depuis vingt-cinq ans, pour me trouver extravagante.

Tante Cécile ouvre la porte et pousse des cris en voyant Fille. Elle n'aime pas les chiens. Elle en a peur, alors elle les accuse de transporter des bactéries, des microbes, que sais-je encore.

Elle veut que je la laisse dehors, dans la voiture, au froid. Je négocie, je promets, je jure de la tenir en laisse, de nettoyer ses pattes, de ne pas la laisser entrer dans la cuisine.

C'est quand même la maison de ma mère. La maison où j'ai été élevée. La maison dont je paie tous les frais et où ma tante Cécile vit à ma charge à condition de s'occuper de ma mère. Prendre soin de ma mère est une occupation à temps plein. Un fardeau. Je le reconnais sans l'ombre d'un doute, sans remettre en question le dévouement de ma tante que j'adore.

Mais la chienne a le droit d'entrer et de semer un brin d'anarchie dans cet univers à la méticulosité affolante. Je tends les cadeaux, le vin, le gâteau. Pendant que Cécile s'affaire en cuisine, j'essuie les pattes de Fille qui se laisse faire, ahurie et docile, humant les odeurs de cette maison où règne la maladie, l'eau de Javel et la soupe aux pois avec de vrais cubes de jambon, préparée avec un talent inversement proportionnel à l'amour qu'il y a dedans. Comme disait mon père de son vivant : « C'est pas parce que c'est fait avec amour que c'est bon. »

Tu l'as dit, bouffi.

En attendant, Fille tourne autour de tout cet amour jambonné, persuadée que ce sera un délice, au grand désespoir de ma tante qui sursaute chaque fois que la chienne la frôle. Cécile tente de cacher qu'elle a peur en criant « wouch, wouch », et me lance le regard de courroux qu'on réserve généralement aux parents qui ne savent pas « tenir » leurs enfants.

Le regard que j'utilise moi-même avec les parents d'enfants exécrables. Malédiction héréditaire ou manque de talent, le regard foudroyant ne foudroie personne, ni les parents d'enfants turbulents ni les filles dont la plus grande extravagance est de vouloir manger autre chose que de la dinde à Noël.

Je l'avoue, le spectacle est drôle. Plus ma petite tante agite le linge à vaisselle devant la truffe de la chienne pour la chasser, plus celle-ci tente de conquérir le cœur (et la casserole) de Cécile. Bizet avait certainement ces deux-là en tête quand il a écrit sur l'amour, la bohème et tous ces satanés enfants qui n'ont jamais jamais connu de lois.

Je fais de l'évitement, comme souvent, mais aujourd'hui c'est Noël, et je puise dans ce que j'ai de courage pour passer au salon. Dans son fauteuil, ma mère n'a plus que la peau et les os. Elle a cessé de manger, elle a cessé de parler, seule sa chorée l'agite encore, pantin rabougri qui gesticule dans un pyjama de flanelle rouge et blanc.

Alors qu'elle n'a pas le droit de monter sur les fauteuils, la chienne se hisse d'un bond souple sur le La-Z-boy où ma mère est installée. Elle tourne sur elle-même, se cherche une place, ses fesses sous le nez de ma mère.

Sur le visage de Cécile venue voir ce qui avait pu ainsi distraire l'animal de son jambon, l'horreur est la même que si elle était tombée sur un massacre à la scie. « Descends de là, maudit animal, descends ! Julia, Julia, tu ne vois pas que ton chien met ses saletés partout sur ta mère ?

— C'est une femelle, tante Cécile. Et je lui ai donné un bain spécialement pour Noël. Si tu n'étais pas si occupée à la détester, tu te serais rendu compte qu'elle sent le pot-pourri.

— Julia, ce n'est pas drôle », dit-elle, des trémolos dans la voix.

Peine perdue, je suis insensible à son drame.

« Tu sais ce qu'il fait avec sa langue, ton chien ? »

Oui, je le sais. Cette langue lèche le derrière des autres chiens. Je me retiens de lui dire que j'ai moi-même mis ma langue sur certains mâles pas toujours très nets et que ça ne m'empêche pas de l'embrasser. C'est inutile, Cécile a déjà décrété que mon humour la laissait de marbre.

« Ce n'est pas un chien, c'est une chienne. »

Un grand désarroi traverse le bon visage de ma tante. Je me demande pourquoi je continue à la taquiner, alors que je sais qu'elle ne comprend pas. Ce n'est pas sa faute si elle a peur. Ce n'est pas sa faute si elle est rigide du ménage et qu'elle trouve l'odeur de l'eau de Javel aphrodisiaque. Ce n'est pas sa faute, elle prend soin de ma mère, elle fait de son mieux et elle est fatiguée.

Je la prends dans mes bras et j'enfouis ma tête dans son cou fripé. Un jour, j'aurai un cou qui tombe en ruine, comme elle, et je porterai un tablier de coton rugueux sur lequel j'essuierai mes mains rêches d'avoir trop frotté. Un jour. Pour l'instant, j'ai trente-sept ans, et c'est le nouveau vingt-cinq. « Pardon, tantine, je vais la retenir, promis.

— Tu dis ça, tu dis ça… Tu n'as aucune autorité sur elle, je l'ai vu tout de suite. »

Je me retourne pour ordonner à Fille de descendre du fauteuil. Sur les traits ravagés de ma mère, entre les spasmes qui vont et viennent, imprévisibles, je devine ce que ma tante Cécile voit en même temps que moi. Un sourire. La chienne s'est couchée, coincée entre le bras de cuir du fauteuil et la cuisse rachitique de ma mère, où elle a posé sa tête de petit boxer lustré.

La main de ma mère, agitée par le démon Huntington, cherche son chemin jusqu'à la tête du chien. La nature du mouvement est indéniable, c'est une caresse.

Je me détourne et je sors dehors, sans mettre mes bottes, juste pour respirer un grand coup d'air froid dans la nuit de cette banlieue qui a connu de meilleurs jours. Tante Cécile est derrière moi, enveloppée dans son châle.

« Quand ce sera le temps, je serai là, tante Cécile.

— C'est le temps depuis longtemps, et tu n'es pas souvent là, Julia.

— Je sais. Je vais m'améliorer. »

Quelque chose cède en moi. Un barrage, érigé avec minutie, morceau de bois après morceau de bois. Du merisier, de l'érable, du pin, du saule, j'ai pris ce que je trouvais, au plus près, on ne chipote pas sur les essences quand on veut se protéger. Mais ce soir, non. Est-ce David, le chat, Rodolphe, Fille, les jeunes enragés de M. Saad, les larmes du Dr Vo ou la main fragile de ma mère sur la tête du chien, je ne sais pas.

Je pleure. Étonnée de sentir l'eau qui se change en glace sur mes joues. J'ai pleuré, parfois. Jamais pour ma mère.

Cécile n'a aucune pitié pour ces nouveaux sentiments. Ou peut-être qu'elle a froid et qu'elle préférerait que je lui fasse ma grande scène d'émotion bien au chaud, à l'abri du vent.

«Ta mère n'a pas besoin de tes larmes, ma petite fille. Elle a besoin de tes forces.»

Oui. Comme Fille au moment d'une ponction, ma mère a besoin que je la tienne solidement. Ce n'est qu'à ce prix qu'elle saura qu'elle peut se laisser aller.

Alors j'essuie la morve de mon nez sur le beau tablier de ma tante Cécile, je rentre dans la maison, je soulève ma mère de son fauteuil et je la prends contre mon cœur qui bat.

«Joyeux Noël, maman.»

ADIEUX

Au retour de chez ma mère, je sonne à la porte de
M. Saad. J'ai parlé au Dr Vo, elle m'a simplement dit :
« C'est la maison grise en face de la clinique, vous ne
pouvez pas la manquer. »

Je ne peux pas la manquer. C'est une magnifique
maison de briques rouges, entourée d'un grand jardin
clôturé de bois. En pleine ville, c'est un luxe rare. Fille
a trouvé le *jack-pot*. La gloire et la fortune promise par
la tireuse de cartes marocaine, c'était son destin à elle,
en fin de compte. Un destin de chien.

M. Saad est en pyjama, rayures bleues sur fond jaune
et ventre rond, en satin. L'espace d'un instant, je me
demande ce que le psychanalyste dirait de son choix
de pyjama. Il veut me faire entrer, m'offrir à boire, faire
ça en douceur.

Ça. La séparation.

Je refuse. Je lui tends la laisse, je dis merci, et je pars.

Voilà. C'est comme ça qu'on abandonne une fille.
Vite fait, bien fait, et sans se retourner.

Je ne veux pas voir où elle habitera, où elle couchera,
où elle mangera. J'ai oublié de dire à mon vieux monsieur volage qu'elle aime ses fettuccine Alfredo avec
beaucoup de parmesan. Tant pis. Il lui donnera des
croquettes, elle ne les mangera pas, il sera bien obligé
de constater l'évidence : cette chienne est une adepte

de fine cuisine et de couvertures de polar qui sentent le jasmin, et rien au monde ne la rend plus heureuse que de courir après les écureuils. Pas de les attraper, la nuance est importante, juste de courir après ventre à terre, jusqu'à ce que tous les écureuils du parc, et il y en a des milliers, aient été dûment pourchassés.

Je cours moi-même jusqu'à la voiture. Tout à coup, cette boîte de tôle me semble encombrante, trop massive pour la vie qui coule. J'envie les Sioux et leurs pas légers sur la neige.

Je mets le moteur en marche, le regard fixé sur la rue déserte, soulagée. Je vais cesser de me lever à l'aube pour aller au parc avant même d'avoir pris mon café, je serai enfin libre d'aller prendre un verre, ou deux ou trois avec les collègues après le travail sans me sentir coupable de priver une bête de sa course du soir, espoir, la maison ne sentira plus le chien mouillé, et les sacs de plastique disparaîtront de mon quotidien. Je vais reprendre ma vie là où je l'ai laissée.

À l'appartement, je me dépêche de mettre la couverture de la chienne au lavage, histoire de ne plus la voir traîner, je range sa gamelle sous l'évier et je jette les biscuits au foie de poulet qui restent. Sur leur terrasse, les voisins ont installé un petit sapin, illuminé de bleu, de rose et de blanc. Pour la petite, sans doute. D'ailleurs, elle pleure. Pour faire changement.

Je cogne chez Rosario, une bouteille entre les mains, avant de me rappeler qu'il était invité chez un ami, un chorégraphe, un propriétaire de bar ou un apprenti boucher. Avec lui, va savoir, il a des amis qui ne correspondent à aucune norme sociale.

Je m'apprête à faire demi-tour pour rentrer boire ma bouteille toute seule quand il ouvre la porte.

« Tu veux boire ? »

Il est en pyjama, c'est-à-dire qu'il porte un pantalon de lin et un t-shirt soyeux, emballage fluide pour son corps de danseur. Il baisse le regard jusqu'à l'endroit où, normalement, deux yeux noirs de bébé gorille se lèveraient sur lui, espérant une caresse, un biscuit, un bout de fromage.

« Qu'est-ce que tu as fait de la chienne, Julia ?

— Ce que je ne me croyais pas capable de faire, Rosario, j'ai agi en adulte, et je l'ai confiée à quelqu'un qui s'en occupera mieux que moi. »

Il penche la tête, le regard curieux.

« Tu veux dire que tu as trouvé plus gaga que toi. »

Gaga ?

« Du tartare de saumon à un chien, j'appelle ça gaga. »

Oui. Bon. Peut-être un peu. Et en même temps, pas vraiment. Dans ma tête, c'était simplement une solution facile que nous mangions la même chose, Fille et moi. Je ne veux pas penser à elle, Rosario, tais-toi.

« Qu'est-ce qui s'est passé chez ta mère pour que tu décides de te séparer du chien le soir de Noël ? »

Tu ressembles à Rocco avec le pit-bull, Rosario, tenace, les crocs bien plantés dans le charnu de ma chair.

« J'ai vu toutes les fois où je n'avais pas été à la hauteur, toutes les fois où je me suis défilée dès que ça devenait difficile, toutes les fois où j'ai laissé à d'autres la charge de prendre soin de ceux que j'abandonne. Je continue ou je me suis suffisamment flagellée pour ce soir ? »

Rosario me prend contre lui, sa main dans mes cheveux, la peau chaude de ses doigts sur ma nuque.

«Tu vas être content, Rosario, je ne l'ai pas confiée à une famille. Elle va passer le reste de ses jours avec un vieux bougon de psychanalyste libanais à gros ventre qui semble plus doué avec les chiens qu'avec ses épouses.»

Il referme la porte derrière nous et, sans perdre de temps, il s'affaire sur le bouchon d'un excellent pouilly acheté à la boutique hors-taxes à mon retour de Chine.

Nous vidons la bouteille. Puis sa sœur, sa demi-sœur, sa cousine et sa petite-cousine. Après tout, c'est Noël, et nous sommes seuls, sans amour, mais sans comptes à rendre. Rosario a monté le son sur Gilberto, Caetano, Bebel et les autres, et il me fait danser, pieds nus, sa main sur ma taille, à peine s'il tangue.

«L'autre soir, j'ai rêvé à toi, lui dis-je à l'oreille, toutes mes barrières tombées à cause du pouilly.

— Je sais. Ça m'a réveillé.

— Ça se voyait tant que ça?»

Ça. Mon trouble, mon désir de lui, ce surprenant appel venu de nulle part. Nous sommes des amis, jamais Harry n'aurait déclaré sa flamme à Sally s'il avait été gai, beau comme un dieu et déjà comblé par ses amants. Il fallait vraiment que ce soit Billy Crystal, certes très drôle, mais absolument pas sexy pour que…

La main de Rosario glisse sur mes reins, pour s'assurer d'une meilleure prise.

«Je suis gai, Julia, pas imbécile.

— Ce n'est pas ce que j'ai voulu dire. J'ai soif.»

Rien à faire, il ne me laisse pas boire, m'attire encore plus contre lui.

« J'ai couché avec plusieurs femmes, tu sais.

— Tu ne me l'as jamais dit.

— Je ne suis pas fou. Tu t'accroches aux hommes qui passent, Julia. Si je te l'avais dit, tu aurais tout gâché en espérant quelque chose de moi.

— C'est l'opinion que tu as de moi ? Une fille pathétique qui s'accroche à tout ce qui bouge ?

— Avant, oui. Maintenant, il y a du progrès, beaucoup de progrès. Tu as même laissé M. Chihuahua partir. »

Je suis soûle, mais pas assez pour ne pas entendre la pointe de sarcasme dans sa voix quand il parle de Rodolphe. Chaque fois qu'il parle de Rodolphe, en fait. Tiens donc. Il vient aussi de me traiter de fille pathétique. Je ne sais pas si je devrais le frapper ou m'en aller. Probablement les deux. Il ne me laisse pas partir. Je le frappe. Il est bête. Il saisit ma main, l'embrasse.

« Avec toi, je pourrais vouloir une famille. »

Je ne le prends pas au sérieux. Lui, une famille : c'est une fantaisie digne d'un film de Terry Gilliam.

« Dis-moi comment c'était de coucher avec des filles, Rosario.

— Doux.

— Tu as aimé ça ?

— J'ai aimé ça avec l'une d'entre elles.

— Et ? »

Nous, les filles, surtout imbibées de pouilly, on veut toujours savoir pourquoi ça n'a pas marché avec la fille avec qui ça aurait *pu* marcher. C'est une fascination que nous avons pour le mystère, les complications et les histoires qui s'effondrent.

« Elle trouvait Castro sexy. »

Nous rions, comme deux imbéciles.

« Ça a été le plus grand deuil de ma préférence pour les garçons.

— Quoi donc, d'avoir couché avec une fille qui n'a pas de goût ?

— Les enfants. »

Du fond du divan moelleux où nous nous sommes échoués, je lui coule un regard, mes pieds allongés sur ses cuisses. Il tourne la tête vers moi, hausse une épaule qu'il veut désinvolte. Ça ne marche pas. Mon ami a l'épaule lourde des chagrins jamais consolés.

« C'est la première chose que ma mère m'a dite : "Rosario, tu n'y penses pas, tu n'auras pas d'enfants, toi qui es né pour en avoir."

— Tu ne m'as jamais dit ça.

— Nous étions très occupés par tes histoires d'amour. »

Comme j'ai dû être pénible ! J'évite de l'admettre et j'enlève mes pieds de ses cuisses, en tentant de me redresser. Ça tourne un peu quand même.

« Ce n'était pas de l'amour, Rosario. C'était moi, affamée de recevoir et incapable de donner.

— Heureux de l'entendre.

— Tu aurais pu me le dire, ça m'aurait fait gagner du temps.

— Tu ne m'aurais pas cru. »

Très juste. D'où je suis, je peux sentir son parfum, épices, sucre et pouilly.

«Tu as changé, Julia. Pour le mieux.

— C'est la mort de David.»

Il se tait, buvant son vin, ailleurs.

«Peut-être… dit-il, évasif.

— S'il n'était pas mort, si nous avions pu nous retrouver, il aurait fait de moi une meilleure personne encore.

— Tu ne le sais pas, ça.»

C'est vrai. Je n'en sais rien.

«Ça t'a fait du bien de prendre soin de quelqu'un d'autre que toi.

— Je n'ai pas eu le temps de prendre soin de David…

— Je parlais du chien.»

Je ne veux pas qu'il me parle de Fille, ni du soin qu'elle a pris de moi, alors je me tais.

«Tu me dis toujours que je suis incapable d'engagement, mais une famille, j'en serais capable, dit-il.

— … et tu irais voir ailleurs.

— … et toi aussi, si tu voulais, tu pourrais aller voir ailleurs.

— Tu finirais par m'en vouloir de ne pas être un homme.

— Toi aussi!

— … et on lui dirait quoi, à l'enfant qu'on aurait?

— … que le pays de son père est le Brésil, et celui de sa mère, le Canada.

— T'es con.»

Je me penche vers lui pour le frapper encore, en riant. Il attrape ma main au vol, m'attire à lui et m'embrasse. Sa bouche est impérieuse, sensuelle, indépendante, tout ce qui me plaît chez un homme, tout ce qui fait que…

Je le repousse, ma main sur sa poitrine, l'autre sur sa cuisse. Je pourrais, là, céder au désir que j'ai pour lui depuis si longtemps. À celui, nouveau, qu'il a pour moi. Je ne le ferai pas. Un jour, il retournerait dans le monde des hommes, j'aurais mal et je le mordrais.

Je ne veux pas mordre Rosario. C'est mon ami. On ne mord pas ses amis. On leur renifle le derrière, on court avec eux, mais on ne les mord pas.

J'aurais voulu une famille, je n'en aurai pas. Je le quitte dans un effort de volonté dont je ne me serais pas crue capable. J'aurais passé une belle nuit et nous aurions eu un enfant magnifique.

CHARLESTON

Mars. Par le hublot de l'Airbus, je vois la mer, les marais, les plantations, puis Charleston, nimbée d'or et de lumière par ce bel après-midi de printemps.

Vincent m'y a envoyée – sacrifiée serait un meilleur mot – avec la mission impossible d'annoncer à la direction de notre usine qu'il y aura une « restructuration majeure », c'est-à-dire une quantité appréciable de mises à pied. Y compris celle du directeur de l'usine s'il manifeste la moindre velléité de résistance. En bouclant ma ceinture pour l'atterrissage, ce n'est pas au directeur que je pense, mais à son épouse, qui se charge chaque fois de m'offrir un cadeau d'usage avec une grâce et une gentillesse qui pourraient laisser croire qu'elle m'aime bien.

Il n'en est rien, évidemment. C'est simplement la tradition du Sud, de choyer les invités. Surtout s'ils sont envoyés par le siège social, et qu'une tête peut sauter avec la facilité d'un grain de maïs dans le micro-ondes. J'ai failli dire à Vincent que j'avais déjà planché sur le projet de restructuration, que j'avais validé mes idées avec des projections financières qui, en théorie du moins, tenaient la route, qu'avec la collaboration de la direction de l'usine il y avait de réelles possibilités sans trop de casse.

Et puis je me suis souvenue du timbre de sa voix, cassante, désagréable, quand il m'a dit que je n'avais

« pas été engagée pour mes idées ». Il a raison, bien sûr. Je n'ai pas été engagée pour mes idées. Je vais donc les garder pour moi et remplir mon rôle d'émissaire comme il se doit. Avec un semblant d'humanité et un maximum d'efficacité.

J'aimerais vous dire que Fille me manque. Mais non. Enfin, si, un peu, mais ça ne dure pas.

J'ai de nouveau une vie sociale, des activités en dehors du travail et une foule de nouveaux désirs. La photo, le cinéma asiatique, la musique haïtienne, la littérature libanaise. Le soir, après le bureau, je cours. Quand tout le monde rentre chez soi pour embrasser ses amours et nourrir ses petits, je cours.

J'évite le parc. Et je vois ma mère.

Je suis aussi des cours de mandarin. *Wo niao ta de. Do it motherfucker.* C'est la première phrase que j'ai apprise de ce langage qui sonne comme des cailloux s'entrechoquant dans un sac de soie.

J'ai l'intention de conquérir la Chine, mais à la course cette fois : je me suis inscrite sur un coup de tête au marathon de la Grande Muraille. Je n'ai pas l'intention de laisser une mauvaise négociation professionnelle ruiner ma relation avec un pays dont je n'ai rien vu et probablement rien compris.

J'avance.

J'ai accroché ma lanterne de papier rouge juste au-dessus de mon plan d'entraînement. Elle me rappelle que toute lumière a parfois besoin d'être tamisée et que rien, jamais, ne remplacera le papier millénaire.

Toutes les semaines, je vais danser chez Maurice avec Rosario. J'aimerais vous dire que c'est comme avant. Mais non. Enfin si, un peu, mais ça ne dure pas.

Rosario et moi, c'est mieux qu'avant. Nous sommes tous les deux moins catégoriques dans nos convictions, moins prompts au sarcasme, ce destructeur de joie, plus fragiles dans nos mouvements, mais, bizarrement, plus audacieux aussi. Comme si cet amour que nous avons l'un pour l'autre, ne pouvant exister de façon formelle, exigeait d'exister quand même et nous poussait au dépassement dans les autres sphères de nos vies.

Sommes-nous passés à côté de quelque chose de grand ? Nous n'en savons rien et nous devons apprendre à vivre avec cette incertitude. C'est comme ça.

Rosario a rencontré quelqu'un, un homme plus vieux que lui. Un homme charmant, propriétaire d'un atelier de mécanique d'automobiles anciennes, qui ne connaît rien à la danse. Tous les soirs, Rosario panique devant l'inéluctable mur qu'il connaît trop bien : ce moment dans la relation où, faute de savoir s'engager, il s'empressera de trouver à Étienne (c'est comme ça qu'il s'appelle, le mécanicien d'Impala) un défaut capital qui justifiera qu'il le quitte. Comme il a quitté tous les autres avant.

Je sers à mon ami un bol de cette soupe que j'ai cuisinée toute seule, je débouche la bouteille de morgon et je lui répète que je suis la preuve vivante qu'on peut, qu'on *doit* changer. Que contrairement au précepte d'acceptation de soi prôné par tous les gourous de la terre – ceux qui me confortaient dans l'idée absurde que les autres avaient le devoir de m'aimer comme j'étais et qui n'ont fait que m'enfermer dans des illusions stériles –, nous avons un devoir d'amélioration.

Sinon, à quoi bon ?

Il m'écoute, il hoche la tête, il mange avec un intérêt nouveau pour ma cuisine, qui, elle aussi, s'améliore. Rosario est pour toujours l'homme qui danse, alors je parle au danseur : cette relation qu'il commence avec Étienne est simplement une nouvelle chorégraphie que son corps doit apprendre, un mouvement après l'autre, avec ses essais, ses erreurs et ses efforts, jusqu'à la fluidité limpide d'un tango répété mille fois.

Il vide son bol de soupe quotidien et il retourne chez lui.

Parfois, je le vois sortir, son manteau Hugo Boss relevé sur ce profil que je connais par cœur et qui m'émeut toujours autant. Je sais qu'il va voir Étienne. Qu'il reviendra au milieu de la nuit. Peut-être demain matin si tout va bien. Un jour à la fois.

J'ai accepté des *shooters* de tequila chez Maurice, j'ai dansé, j'ai découvert un nouveau bar à champagne avec un avocat qui a eu l'audace de me draguer pendant que j'achetais mes nouvelles chaussures de course, des Mizuno qui « font la vague », mais je n'ai rencontré personne qui m'ait donné envie de suivre l'exemple de mes Mizuno. Je n'ai pas revu Rodolphe non plus, mais je me suis abonnée à une revue spécialisée en nouvelles technologies, histoire de pouvoir le féliciter en connaissance de cause le jour où je lirai dans le journal qu'il est devenu millionnaire. À moins qu'il ne s'effondre avant, à bout de forces et de ressources. C'est ce qui m'inquiète.

Les roues de l'avion touchent le tarmac d'un soubresaut brutal. Charleston.

Dans le taxi qui m'amène à l'hôtel, angle Calhoun et King, je sens sous les roues les vibrations des pavés anciens qui forcent la voiture à rouler lentement et me donnent tout le temps nécessaire pour admirer l'ocre, le rose et le turquoise pâle des maisons, les fenêtres fleuries aux volets de bois peint, la dentelle des grilles de fer forgé délicates et gracieuses qui laissent voir des jardins à la végétation luxuriante. Michaux, Gaillard, Cordes, Lefevre : l'héritage des Français huguenots est omniprésent dans les rues. Sullivan's Island, Denmark Vesey, Omar Ibn Saïd, Allan Little : celui de l'esclavage aussi.

Malgré l'air conditionné, j'ouvre la fenêtre pour sentir les parfums du printemps, cerisiers en fleurs, magnolias bourgeonnants, et en note de fond, l'océan. J'ai demandé qu'on ne m'attende pas, je veux avoir la soirée pour réfléchir à la façon dont je vais annoncer mes mauvaises nouvelles à Taylor Chandler, le directeur de l'usine. On appelle ça une stratégie de communication. D'après les experts, ces circonvolutions servent à éviter de brutaliser inutilement ceux dont on détruit les vies, rêves inclus.

Ça ressemble à Francis qui me disait « ce n'est pas toi, c'est moi », alors que c'était moi depuis le début. Fallait le dire.

À l'hôtel, le concierge, manifestement très fier de son français impeccable, me suggère un bistrot de *southern cuisine*. Il suffit de prendre Meetings jusqu'à

Battery et de tourner à gauche, on peut y aller à pied. Je refuse, j'ai du travail, le *room service* suffira.

Vingt minutes plus tard, je descends Meetings, Mizuno aux pieds, carte de crédit et téléphone en poche, et c'est tout. L'air embaume, à peine frais, et les rayons du soleil déclinant traversent les feuillages des chênes et des palmiers de Battery Park, inondant la ville d'ambre et de lumière.

« Pense à regarder la route », m'avait dit Rosario avant que je parte rejoindre David. Je n'avais pas compris.

Ce soir, je pense à regarder la route. Demain ne nous est pas promis.

Je prends mon temps tout le long de Battery, entre les cris des mouettes et le clapotis des vagues dans la baie. Sur une carte, le concierge a dessiné mon itinéraire. Je ne l'ai pas suivi et j'ai continué mon chemin jusqu'à ce que mon nez hume une odeur de grillades.

McCrady's. Parfait.

Je suis les pas d'un serveur attentionné qui me mène à une table, pas celle du fond, non, une excellente table juste à côté de… celle occupée par Taylor Chandler, le directeur de l'usine, et sa femme, Lauren. Ils levaient leur flûte de ce qui semblait être un excellent champagne au moment où nos regards se sont croisés.

Pendant quelques secondes, tout peut basculer. Ils n'ont aucune envie de me voir, je n'ai aucune envie de leur parler, nous en serons quittes pour un malaise magistral. Mais Lauren pose sa main sur le bras de son mari et se tourne vers moi : « *No, no, this is good, this is perfect. Why don't you join us, Julia ?* »

Cinq minutes après, j'ai bu ma première flûte de champagne et j'écoute ce couple délicieux me raconter ses projets de vie, maintenant que Taylor a enfin une occasion de quitter la direction de l'usine. Ils savent pourquoi je suis là et quels dommages je m'apprête à faire au nom de la profitabilité de la grande entreprise. Ils sont prêts. Vendre la maison, acheter plus petit dans les terres du côté de Savannah, se contenter d'une seule voiture. Lauren veut restaurer des meubles, ouvrir une boutique où il n'y aura que des objets «*so lovely people will never be able to part with them, and I know I'm good with gifts too. Did you like the jasmine salts I gave you last time?*

— *Yes I did like them, Lauren, thank you very much.*»
Taylor s'occupera des enfants le temps de réorganiser sa vie professionnelle. Il aura enfin le loisir de *coacher* l'équipe de football, lui qui a été *linebacker* à l'université. C'est ce nouveau départ qu'ils fêtaient au champagne, célébration d'un renouveau imposé, mais dont ils s'efforcent de voir le bon côté «*which is easier than you think, since we're not losing everything*».

La seule inquiétude de Taylor concerne ses employés. Pour plusieurs d'entre eux, ce sera un drame.

Je ne sais pas si c'est le champagne ou le constat réconfortant que la gentillesse de cette femme que j'avais sous-estimée était authentique, mais je leur explique mon plan. Celui dont je n'ai pas fait part à Vincent, parce qu'il n'en aurait pas voulu.

Taylor, lui, se montre tout de suite intéressé. Il pose les bonnes questions. Il m'écoute attentivement, sans chercher à m'interrompre. Il se gratte le crâne à répétition : « *He's thinking, hard* », me dit Lauren. Plus il comprend où je vais, plus il secoue la tête en riant : « *This is wicked, Julia. I like it.* »

Mon plan changerait leurs plans. Mais ça sauverait peut-être des emplois. Pas tous, mais beaucoup. Nous commandons une autre bouteille de champagne et, à la fin, je sors mon Blackberry et je lui transfère le dossier dans sa boîte de réception au mépris de toute prudence professionnelle.

Si Taylor révèle ce que je viens de faire, je perdrai ma job, ma crédibilité et ma réputation. Que valent les serments de loyauté signés au champagne ? Je n'en sais rien. Je le découvrirai bien assez vite.

Nous convenons que je n'irai pas à l'usine le lendemain. Taylor jouera le jeu de la restructuration comme un gestionnaire docile jusqu'à ce qu'il mette mon plan à sa main, qu'il arrive à convaincre quelques investisseurs locaux ou un seul gros et qu'il soit prêt à soumettre la proposition à la haute direction. À mon retour, j'écrirai le rapport que Vincent attend de moi avec tous les mots qu'il a si fort envie de lire, sans mensonges, mais en omettant les deux bouteilles de Mumm. Le coup est assez solide pour valoir la peine d'être tenté, et au diable les us et coutumes des pâtes et papiers inc.

Si d'aventure le plan que j'ai passé des heures à élaborer fonctionne, mon rôle ne sera jamais mentionné dans l'histoire de son succès. Parfois, pour donner toutes les chances à un projet, il faut s'enlever de l'équation. Moi qui n'aimais que la gloire des buts atteints, voilà que je trouve une joie féroce juste à l'idée de voir naître ce projet, avec ou sans moi.

Taylor rit de plaisir, Lauren rit de voir son mari aussi heureux, et il ne reste qu'une chose à faire, savourer notre rébellion. Nous terminons la bouteille, mangeons comme des rois, fumons des cigarettes comme des adolescents à la sortie du restaurant, et nous nous quittons sous l'effet de l'adrénaline, tels les complices d'un crime qui exige une solidarité sans failles.

Je ne me souviens pas de m'être sentie aussi vivante et excitée par les chances de succès d'un projet dont je ne pourrais jamais réclamer les dividendes. Si ça fonctionne, je n'aurai aucun crédit. Si ça échoue...

Si ça échoue, Vincent aura le dernier mot. Plusieurs ouvriers sans éducation et sans perspectives d'avenir perdront leur job, Taylor deviendra *coach* de football dans un *high school* de Savannah, Lauren ouvrira une boutique qui vend des sels de bain au jasmin et des objets « *too lovely to part with* ». Et moi, je...

Et moi, rien. J'ai le choix entre rester un cadre modèle, rigoureuse et sans audace, et sauter dans le vide.

Le froid de la nuit est tombé depuis longtemps sur Charleston. De retour à l'hôtel, je sors mon téléphone et je cherche un nom sur Facebook. Ah, voilà : Laurin, il s'appelle Rodolphe Laurin. Il est tard, sans doute trop tard pour réveiller quelqu'un qui...

« Rodolphe, c'est Julia.

— ... »

Rien. Pas un mot. Des grognements. Merde, si ça se trouve, il est avec une fille. Un jappement derrière, celui d'un chien bien réveillé et persuadé qu'il s'en va au parc. Rocco !

Je viens de réveiller le maître et sa bête.

«Julia, la…»

J'allais dire «la mère de Fille», je me retiens.

«Celle qui… Celle avec qui tu…»

Je l'entends rire à l'autre bout. C'est bon de l'entendre rire. C'est chaud. «Julia, excuse-moi, je dormais, je sais qui tu es. Je peux même te décrire le grain de beauté que tu as juste en haut de la fesse gauche, celui en forme de…

— T'as fini? J'ai quelque chose à te proposer. J'aime autant te prévenir, on se verrait beaucoup. Tout habillés.

— Je t'écoute.

— Comment ça va, tes affaires? Tes projets pour développer des applications vertes?

— Lentement…»

Je le sens fatigué. Intrigué par ma question aussi: «Je pourrais bénéficier d'un coup de main de la part d'une experte en développement des affaires…»

Mon lit est moelleux, les draps sont doux, et je suis encore ivre de champagne et de plans subversifs pour renverser la crétinerie profonde de Vincent et assurer le succès des troupes grâce à mes idées brillantes. Je ne veux pas donner un coup de main à Rodolphe.

«Je veux être partenaire dans ta business, Rodolphe. Je sais que tu…

— Oui.»

Il a dit oui. Tout de suite. En me coupant la parole. Pressé. Oui, Julia, oui.

«Non, mais attends, je sais que tu détestes que les autres se mêlent de tes projets, et là, avec moi dans le décor, tu vas me trouver…

— Oui, je te dis.

— Tu ne veux pas y penser ?

— Non, j'ai peur que tu changes d'idée. Je suis au bout du rouleau, épuisé, je travaille dix-huit heures par jour, sept jours par semaine. Oui, je t'en supplie, oui, maintenant, ce soir. »

Les yeux au plafond, je souris. Je ne le trouve ni faible, ni trop facile, ni ennuyant de ne pas me forcer à lui courir après. Depuis que je cours tout court, j'ai cessé de courir après les gens. C'est curieux, non ?

Je ne me souviens pas d'avoir raccroché le téléphone. Je me suis réveillée au petit matin, la bouche pâteuse, l'esprit léger, encore ivre de mes audaces. Libre comme l'air.

C'est alors que j'ai la brillante idée d'aller à Folly Beach, le paradis des surfeurs hippies.

FOLLY BEACH

Les boucles cuivrées en rasta, l'œil goguenard du mauvais garçon qui s'y connaît en séduction tous azimuts, les muscles puissants sur un corps aérien, il est irrésistible et il le sait.

À la seconde où je le vois plonger dans les vagues vaporeuses pour monter sur la planche de surf, je sens que je suis vaincue. Il est juste trop beau, truffe levée vers le ciel, lustré d'eau de mer, les oreilles au vent, suivant son maître avec la fougue d'une bête qui se sait capable de tout, pour la vie et pour l'éternité.

Peu importe la force de la vague, il fonce, nage, monte sur la planche et s'installe, tel un Viking en quête d'une nouvelle Amérique. Derrière lui, son maître en *wetsuit* s'agenouille sur la planche et pédale des bras jusqu'à ce que leur équipage soit dans l'angle de la prochaine vague.

Lorsqu'elle vient, ils se redressent en même temps, en équilibre, jusqu'à ce qu'elle casse sur le rivage. Alors le chien s'ébroue, écume d'eau de mer et joie mêlées, jappe, tourne autour de son maître comme un fou puis s'élance vers la mer, chassant les vagues avec le même entrain optimiste que Fille chassait ses écureuils.

Un chien, ce n'est pas la note d'espoir à la fin, c'est toute la symphonie, *right here, right now*.

Un matin de mars, à Folly Beach en Caroline du Sud, j'ai vu un chien faire du surf avec son humain. Jusqu'à ce que l'humain déclare forfait et prenne sa planche sous son bras pour rentrer.

J'aurais dû m'en aller.

Le chien est venu vers moi, grande bête rousse au poil mouillé d'eau de mer, une longue traînée d'algues autour du cou en guise de laisse.

Il avait des yeux bruns, un long museau, des dents blanches, parfaites, une dentition américaine. Je n'ai même pas remarqué à quoi ressemblait le maître.

« *What's his name?*

— *Boy.* »

S'IL VOUS PLAÎT

Que vouliez-vous que je fasse ? Je suis rentrée à la maison et j'ai été sonner à la porte de M. Saad.

Le son d'une voix grave, celle d'un petit boxer qui prévient qu'un intrus s'apprête à envahir le territoire, fait battre mon cœur comme peu d'hommes y sont parvenus. Fille ! Fille !

J'entends un branle-bas de combat, des pas, et M. Saad ouvre enfin la porte. Il me jette un regard sévère, les sourcils en avant, prêts à se jeter dans la bagarre. J'ai beau regarder derrière lui, pas de Fille en vue. J'entends ses gémissements, ses griffes qui labourent une porte. Je n'ai qu'une envie, entrer de force dans la maison et la libérer.

Résiste, attends.

«Votre première femme vous a quitté, vous avez divorcé de la deuxième, mais vous ne m'avez jamais dit comment c'était avec votre troisième femme, celle qui est morte.»

M. Saad ne s'attendait pas à ça. «Vous êtes venue pour me poser des questions sur ma vie amoureuse ?» Il est perplexe. Le labourage de porte s'intensifie, Fille va tout détruire.

«Oui, dis-je, en mentant comme une arracheuse de dents.

« — La vérité ?

— La vérité. »

Fille ne gémit plus, elle hulule. On dirait Maria Callas dans *Madame Butterfly*. M. Saad fait semblant de ne pas entendre, je fais semblant de ne pas entendre, c'est ridicule. « Je n'ai pas été amoureux d'elle, mais j'ai été très heureux.

— Et elle ?

— Elle m'aimait.

— Et si elle avait aimé quelqu'un d'autre ? Qu'elle avait tenté de démolir une porte pour aller rejoindre son amour, son grand grand amour ? »

Il refuse l'appât tendu.

« Ça n'est pas arrivé.

— Oui, mais *si* c'était arrivé ?

— Puisque je vous dis que c'est moi qu'elle aimait ! »

Je le supplie, je lui promets une bouteille de scotch (ça ne l'impressionne pas), je jure de lui acheter le chiot qu'il préfère chez le meilleur éleveur du pays, mais je veux Fille. Il dit non. « Vous n'avez pas voulu vous en occuper, c'est trop tard maintenant, elle est à moi.

— Chez moi, elle n'a jamais rien détruit. Même pas une pantoufle. »

Je vois la grasse lueur de l'envie dans les yeux de M. Saad. Fille n'a pas été aussi docile chez lui. La porte qui la retient ne résistera pas. La volonté de M. Saad non plus. Dans cinq, quatre, trois, deux…

Ça me coûte un chiot chez le meilleur éleveur du pays. L'équivalent d'un voyage en Chine, classe affaires, taxes incluses. Le meilleur ami de l'homme n'est pas celui de son comptable. Mais la langue multivitaminée de Fille partout dans ma face, son émotion lorsqu'elle comprend que je la ramène avec moi, ses pattes autour de mon cou, nos retrouvailles fêtées dans la même assiette de fettuccine à la crème, extra parmesan, ça n'a pas de prix.

On ne va pas contre l'amour.

ET À LA FIN DE L'HIVER, L'ÉTÉ

L'été est revenu, à toute vitesse. Un matin, on gelait; le soir, il faisait chaud.

Le premier mot de Rose, notre petite voisine, a été « chien ». Rose a fait ses premiers pas dans l'herbe tendre, bien accrochée au collier de la chienne, qui escorte tout doucement ce petit bout de femme avec patience et indulgence malgré son désir d'aller chasser l'écureuil. Il faut savoir mettre de côté ses propres désirs pour aider un plus petit que soi.

La mère de la petite a cessé de pleurer d'épuisement, et le père, ce comptable qui feignait de ne pas s'apercevoir de ma présence, s'agenouille maintenant devant moi. Qui l'eût cru ?

Enfin, il s'agenouille plutôt devant la chienne : « Regarde, Rose, c'est Fiiiiiiille. »

Tout plutôt que d'entendre la petite pleurer. Là-dessus, tout l'immeuble est d'accord.

Malgré les marées parfois houleuses, la relation de Rosario et Étienne tient le coup. Jusqu'à quand ? Personne ne le sait, mais ils avancent.

Rodolphe et moi tenons l'essentiel de nos réunions d'affaires au parc à chiens. Il faut ce qu'il faut. Le retour au parc a été mouvementé. Juste comme j'arrivais pour notre toute première course depuis le retour de Fille, Rodolphe était en train de faire un massage cardiaque à Bruce, le maître d'Oscar et de Lola, en suivant le rythme de *Stayin' Alive* des Bee Gees.

Je ne sais pas si c'est la voix de Rodolphe ou le massage, mais Bruce s'en est tiré. En attendant, dans l'urgence de trouver quelqu'un pour s'occuper d'Oscar et de Lola pendant le séjour de Bruce à l'hôpital, tous les maîtres se sont proposés, et c'est comme ça que j'ai su que la dame au bichon s'appelle Suzanne et que c'est une romancière très connue. C'est elle qui a pris soin d'Oscar et de Lola pendant la convalescence de Bruce. Il paraît que Victor le bichon a mené les pauvres bêtes au doigt et à l'œil et qu'elles étaient terrorisées par ce dictateur de trois kilos.

J'ai gardé mon boulot dans les pâtes et papiers. En ce moment, toute la compagnie est sur les dents, dans l'attente de nouvelles fraîches de la fusion de l'usine de Charleston avec une compagnie locale qui fait dans l'usinage de bois précieux. Je feins l'enthousiasme pour toutes les idées de Vincent et je me surprends à ne trouver aucun fond à mes réserves d'hypocrisie pour le leurrer. J'ignore ses mauvais comportements, je récompense les bons, rares. Ça fonctionne à merveille.

Jusqu'à ce que nos affaires décollent, avec Rodolphe, je ramasse mon chèque et je paie le tartare, les nouilles et les fournitures de bureau de notre entreprise naissante. Je n'ai pas récupéré le dossier chinois, mais mon mandarin s'améliore : je sais dire « J'ai mal aux jambes », « Je t'aime » et « Où est le prochain point d'eau ? », ce qui devrait suffire pour le marathon de la Grande Muraille.

L'an dernier, à pareille date, je revenais de Chine, humiliée par Francis, mais l'ego ragaillardi par mes rencontres avec les Chinois, lente et lourde comme un billot de bois qui ne sait pas encore qu'il peut flotter à condition qu'on le mette sur l'eau.

En une année, j'ai perdu tout ce que je croyais aimer, tout ce que j'avais caché au désir de peur que la vie me fasse payer de l'avoir allumé. Francis, David, la Chine et plus de dix kilos. Je flotte dans mes vêtements de l'an dernier, tout à coup plume où j'étais plomb.

Le soir où j'ai ramené Fille de chez M. Saad, j'ai déchiré la carte de tarot qui me prédisait la gloire et la fortune. La vie n'est pas tributaire des cartes qui nous sont distribuées par le destin, encore moins par une voyante de pacotille, mais du courage que nous avons dans le terrible face-à-face avec nous-même.

Mes cartes de gloire et de fortune, je les ai eues à ma naissance, dans un pays riche, où j'ai mangé à ma faim tous les jours, dans une famille où j'ai été aimée par des parents certes imparfaits, mais qui ont fait de leur mieux et m'ont épargné des années de vaches maigres en payant mes études.

En somme, si je compare mon sort avec celui de tant de gens qui m'entourent, je vois que j'ai été choyée par la vie, à tel point que j'ai occulté une équation toute simple : c'est parce que j'ai tant reçu qu'il me faut penser à rendre. J'ai cru bêtement que, parce qu'on ne m'avait rien demandé, j'avais congé de devoirs. Que parce que j'avais été privilégiée, le meilleur de la vie m'était dû.

Je n'avais pas compris que c'est à moi de donner. Que jamais un écureuil ne viendra dans ma gueule de son plein gré, et que l'impulsion de la chasse est ma responsabilité. La mienne et celle de personne d'autre. Ma gloire et ma fortune sont tout entières dans cette impulsion.

Il faut seulement se mettre en chasse, dans la joie et l'enthousiasme, propulsée par l'espoir fou d'y arriver un jour.

LES ÎLES…

Le regard levé vers le ciel noir, j'attends Jeremy.

Jeremy n'est pas un homme, c'est un ouragan. S'il s'était appelé Julia, on l'aurait sous-estimé. Tous les ouragans féminins sont sous-estimés. De grosses gouttes dures mitraillent la vitre de la fenêtre qui donne sur le quai, le vent pousse les nuages anthracite, le sable vole dans tous les sens, le ferry est à quai, et Jeremy, en bon vaurien qu'il est, me retient prisonnière. Insulaire de force sur une île de l'Atlantique, la dernière d'un chapelet au large du continent.

Il peut bien me retenir tant qu'il veut, le fantasque Jeremy, j'ai passé ici les plus belles vacances de ma vie.

Il y a tout juste un an, David avait pris le même ferry pour venir à ma rencontre à la rivière aux Amours, et il était mort sur une route de campagne en voulant éviter un chien. Un an plus tard, un matin d'août, j'ai mis ma chienne dans la voiture, et nous sommes parties à l'aube, en direction des Îles-de-la-Madeleine, à la rencontre de David.

Il fallait que je remonte aux sources, que je termine la route. Je devais au moins ça à mon premier amour.

Les Îles-de-la-Madeleine. Je ne sais pas qui est Madeleine, mais je sais que c'est une fille qu'on ne quitte pas facilement. Je comprends maintenant David d'y avoir fait sa vie, même si ce n'est pas tout à fait la vie qu'il m'a décrite dans notre correspondance...

Autour de moi, les gens attendent que le ferry puisse prendre la mer pour nous ramener sur terre. Je les regarde, attentive à leurs traits reposés, à leur teint bronzé, aux écrans qu'ils consultent pour vérifier s'ils seront de retour à temps pour le travail. Qu'ont-ils appris de leur vie ces derniers jours ? Qu'ont-ils vu en regardant les vagues se briser et l'écume monter au ciel ? À quoi ont-ils pensé ? À qui ?

Souvent, les gens en vacances adoptent des résolutions : profiter de la vie, passer plus de temps avec les enfants, faire l'amour plus souvent. Convaincus par le vin blanc, le homard et le vent, ils prennent des décisions. Parfois, ils vont de l'avant.

Parfois.

Je n'ai pris aucune résolution. Je me suis levée le matin. Je suis sortie prendre le café dehors, moitié arabica, moitié sel. J'ai escaladé les dunes, un livre à la main, la jupe au vent, et Fille sur les talons. Je l'ai regardée courir après les vagues, infatigable et insolente comme une fille qui ne cherche pas à plaire. Cette chienne a passé des heures à enterrer des bouts de bois de grève, ses trésors, puis à les chercher en grattant le sable, avec la même patience déterminée.

Acharnée, même.

Et du même souffle, sans hésiter, elle a quitté l'œuvre de tout un après-midi à la seconde où j'ai sorti un sandwich au fromage de mon sac pour le manger en marchant le long de la grève. « Mais tu as travaillé si fort pour ton bout de bois, Fille. »

Elle lève la tête vers moi, toute en sourcils arqués, en gueule affamée et en foulée joyeuse. Hein ? Qu'est-ce que tu dis ? Travaillé fort ? Quel bout de bois ?

Il y aurait long à dire sur la capacité de quitter un chantier sur lequel on a tant besogné pour suivre le premier sandwich au fromage qui passe. La ténacité est une belle qualité. Savoir reconnaître que l'occasion qui passe sera facile à saisir et meilleure en bouche est un don. Ma chienne est douée, et sa façon d'attraper le bonheur au vol et de l'engloutir d'un coup de mâchoire magique m'enchante.

Le soir, nous avons mangé du homard, du pied-de-vent, de la tomme des Demoiselles, du pain un peu rassis et les restes de salades de tomates qui baignaient dans leur jus. C'était bon et simple. Pas une fois nous n'avons mangé de fettuccine au parmesan, ni de tartare de saumon. Il faut savoir se renouveler, paraît-il. Voilà, c'est fait.

J'ai lu. Un livre par jour. Du sable plein les fesses, j'ai tourné des pages gondolées par les embruns, tachées de crème solaire et de jus de pêches mûres, n'en levant le nez que pour m'éblouir de la mer. Ou du poil lustré de ma chienne qui ronflait sur la serviette à mes côtés. Et quand je les avais terminés, je laissais les livres au bout du bar chez Claudie, univers sur papier pour lecteurs inconnus. Le lendemain, les livres avaient disparu, recueillis comme j'avais recueilli Fille, un soir de novembre.

Il n'y a que les livres ou les chiens que l'on puisse adopter ainsi. Sans trop savoir d'où ils viennent, par quoi ils sont passés et dans quoi on s'embarque. Mais voilà, une fois qu'on a les deux pieds dedans, c'est pour la vie.

Fille a dormi avec moi, tout son corps musclé abandonné contre le mien. Parfois, elle chassait un écureuil imaginaire dans ses rêves et le battement frénétique de ses pattes me réveillait. Le jour, elle me suivait partout. Personne ne s'est formalisé de sa présence, surtout pas Claudie, qui tient le café-bar où nous allions écouter les musiciens le soir. Fille était particulièrement sensible au son de l'accordéon, qu'elle accompagnait volontiers de vocalises canines, ce qui faisait rire tout le monde.

J'ai rencontré des gens. Pauline, Suzie, Jean, la vieille Alice, le jeune Eloi, Catherine, la belle Martine aux yeux bleus, si bleus, infirmière à la clinique, qui s'est transformée en vétérinaire le temps d'une coupure au coussin sous la patte de Fille, et qui m'a dit au moment où j'ai voulu la payer : « Tu m'offriras une bière chez Claudie. » Ça s'est transformé en plusieurs bières, puis en thé glacé, arrosé de bourbon et de fous rires. Quand je surprenais le reflet de mon regard dans le miroir derrière le bar, j'y voyais à nouveau cet or que je croyais disparu depuis la mort de mon père, depuis la mort de David. Moi qui n'avais cherché l'or que dans l'amour des hommes, je découvrais que la rivière m'appartenait et que j'en étais le seul prospecteur.

Pendant trois semaines, j'ai été entièrement absorbée par la plus intense des activités : vivre.

Partout où j'ai été, j'ai rencontré des gens qui ont aimé David, qui l'ont estimé. Ils appréciaient les meubles de « l'avocat », sa minutie quand il réparait une porte de garage, sa gentillesse quand il débarquait avec ses outils et qu'il plissait les yeux devant le problème, pour ensuite prendre des notes au crayon à mine dans un petit carnet qui quittait rarement la poche arrière de son pantalon de toile.

« Avec David, il n'y avait pas de problème, m'a dit Claudie, du haut de sa prodigieuse capacité à jauger les gens. Juste des solutions. Tu vois, c'est lui qui a construit le bar. Je voulais quelque chose d'inégal, de brut, qui donne l'impression d'être en mer. Tu as vu la qualité du travail ? Pas un clou visible ».

Je suis fille d'industrie de bois, de pâtes et de papier. Il était l'homme qui imaginait un bar en mélèze qui vous donnait l'impression d'être à la proue d'un navire.

Son cabinet d'avocat, c'était son atelier de menuiserie. De temps en temps, mais c'était rare, un client le consultait pour un problème de droit maritime ou de divorce houleux, en dehors de sa spécialité. D'après ce qu'on m'a dit, il encourageait chaque fois, et avec conviction, les gens à se passer de ses services : « Herménégilde, tu n'as pas les moyens d'être en colère » est une phrase de David que Claudie m'a répétée au moins trois fois.

J'ai passé beaucoup de temps au bar de Claudie, Fille à mes pieds, aussi raides de sel l'une que l'autre, heureuses et assoiffées.

Et puis, un soir, elle avait bu et moi aussi, Claudie m'a parlé des filles. Celles qu'il y a eu dans la vie de David, et qui ne sont pas restées, vaincues par le fantôme de celle qu'il n'avait jamais réussi à oublier.

Moi.

Claudie m'a avoué qu'elle avait longtemps cru que cette fameuse « femme de sa vie » était le prétexte de David, qu'elle avait affectueusement surnommé le

«George Clooney des Îles», pour éviter de s'engager avec les autres. Qu'elle n'y avait jamais vraiment cru, à cette Julia qu'il n'avait jamais cessé d'aimer. Jusqu'à ce que David lui montre le banc sur lequel il travaillait et qu'il peaufinait jusqu'à l'obsession.

«Quel banc?

— Devant chez lui, face à la mer, dans le creux d'un rocher, il y a un banc. C'est David qui l'a fabriqué. Pour toi.»

Le lendemain, je descendais le sentier devant la maison de David. À gauche, sur une corniche, le banc était là, il m'attendait. C'était un banc en acajou, qui résisterait aux intempéries, au sel et aux disputes amoureuses. C'était un banc fait pour durer.

Je me suis assise sur le banc, ma main sur la nuque de la chienne, et j'ai su. Ça n'aurait jamais pu fonctionner, David et moi. Nous nous serions aimés quelques mois, et puis j'aurais eu envie de partir. D'ici. De cette beauté. De cette île où les gens sont si accueillants, si chaleureux que jamais je n'aurais pu être à la hauteur. Je ne dis pas ça pour me diminuer. Mais parce que c'est juste. Vrai. Authentique.

J'ai besoin de gris, de travail, de ville, d'aspérités et d'ambitions. Je veux la Chine, le succès de mon entreprise avec Rodolphe, aller danser avec Rosario et courir toutes les ruelles de ma ville. David voulait une île, je voulais le monde. Et nous avions raison l'un et l'autre.

Mais pas ensemble.

Peu importe l'amour, nos désirs et nos natures auraient pillé toutes les réserves jusqu'à ce qu'il ne reste que la rancœur et l'amertume. Je l'aurais quitté, pour la seconde fois de notre vie, et il ne s'en serait pas remis. Ou alors il m'aurait enfin enterrée et il aurait cessé de casser les oreilles aux autres filles avec cette maudite femme de sa vie qui n'était qu'une illusion.

Va savoir ce qui serait arrivé si David avait vécu, va savoir…

Je n'ai confié cette constatation à personne. Les gens ne veulent pas entendre ces choses-là. Ils préfèrent se recueillir devant un banc d'acajou, œuvre d'amour d'un ébéniste pour la femme qu'il aime. Ce n'est pas moi qui irai les détromper. Après tout, le banc est une splendeur, le grain lisse, lustré à l'huile, aussi rouge qu'un soleil qui se couche sur la mer, niché dans l'intimité de son cocon de pierre, et juste assez large pour deux.

«Est-ce que je peux la caresser?»

Je suis tirée de mes rêves par une voix rauque et enfantine. Une petite blonde à la bouille de paysanne polonaise, le nez retroussé, de minuscules dents blanches de travers et des cheveux d'un or si pâle qu'ils illuminent encore plus ses joues rondes et bronzées. Elle porte un ciré rouge sur une salopette et un t-shirt déjà sale. Quel âge a-t-elle? Quatre ans? Sept ans? Je n'ai jamais été douée pour deviner l'âge des enfants; c'est une bonne chose que je ne sois jamais devenue mère.

La gamine n'a pas attendu ma permission pour caresser Fille. D'abord timidement, du bout de ses mains potelées, puis dans un corps à corps beaucoup trop fougueux pour qu'on ne lui reproche pas un jour de vouloir «trop».

La chienne en profite pour s'attraper une parcelle de joue enfantine d'un solide coup de langue. C'est ce qu'elle fait aux enfants, qu'elle confond avec des sucettes au foie de poulet.

« Fille, arrête.

— Ça ne me dérange pas, roucoule l'enfant, aux anges.

— Toi non, mais il y a d'autres enfants qui ont peur, parfois.

— Je n'ai pas peur.

— Il n'y a pas que toi sur la terre, il faut penser aux autres. »

Elle me décoche un regard rond, d'un myosotis sidérant, ourlé de longs cils presque transparents. On dirait une peinture norvégienne. Une enfant gnome aux joues rouges qu'on planterait dans un jardin au milieu des tulipes. Il ne lui manque qu'un moulin à vent et une canne à pêche.

« Les autres, je vais leur dire.

— Tu vas leur dire quoi ?

— Qu'il ne faut pas avoir peur des chiens, il faut leur donner la main, comme ça, tu vois ? »

Elle tend sa paume ouverte à Fille, qui s'empresse de lécher ce qui reste de biscuit et de jus de pomme sur ce minuscule territoire de peau.

« Je vois.

— Ensuite, quand ils t'ont bien senti et qu'ils n'ont pas peur de toi, tu passes douuuuuucement ta main derrière leur oreille. Douuuucement, dit-elle, de sa drôle de voix trop grave pour un si petit corps. Et là, tu grattes. »

Et elle se met à gratter Fille derrière l'oreille, les doigts agiles et potelés, le visage sérieux, tout entière

dévouée au plaisir de la chienne. Qui en a beaucoup.
Cette enfant est trop drôle.

« Comment tu t'appelles ?

— Ana, répond ma nouvelle amie norvégienne, d'un
grand sourire édenté. Ana Banana. J'ai six ans et sept
mois, et mon père ne veut pas que j'aie un chien. »

Ana Banana, tu es irrésistible de turbulence. Comment peut-on te refuser quelque chose ?

« Je le comprends, moi non plus, je ne voulais pas
de chien.

— Et pourtant, pourtant, tu l'as.

— Et pourtant, je l'ai. Mais c'est elle qui a insisté.
Moi, je ne voulais vraiment pas. »

La petite étreint Fille de toutes ses forces, comme si
elle craignait que je l'abandonne à l'instant, sur une île
menacée par un ouragan baptisé Jeremy. D'un regard
éploré, la chienne me supplie de la libérer. Les petites
pattes sales de l'enfant sont pleines de fossettes et de
gras de bébé contre le poil dru de Fille.

Une main se pose sur la nuque d'Ana, d'un geste
tendre et familier, dans lequel il y a peut-être un peu
d'impatience, un peu de fatigue. « Ana, sois douce avec
le chien. »

Ana Banana ignore avec superbe la voix qui lui
parle. Mais moi je lève la tête vers lui, pendant que sa
fille étreint ma Fille.

C'est comme ça que j'ai rencontré Romain.

MOT DE L'AUTEUR

Un soir de novembre 2011, alors qu'il faisait noir et froid, je rentrais d'une réunion qui s'était éternisée et, en passant par la ruelle pour entrer chez moi, j'ai vu un chien.

Ce chien était attaché à un poteau par une simple laisse de nylon rouge. Dans l'obscurité, j'ai d'abord cru que c'était un pit-bull.

En m'approchant, j'ai vu que c'était un boxer, une jeune femelle, bringée, une race dont le poil très court n'offre aucune protection contre le froid.

Je me souviens d'avoir espéré que son maître viendrait la chercher très vite. Peut-être était-il en visite chez un de mes voisins qui ne tolérait pas les chiens ? Il n'y avait pas vraiment d'autres hypothèses, ma ruelle étant une impasse résidentielle.

À sept heures du soir, la chienne était toujours dans la ruelle.

À neuf heures, je suis allée lui porter une gamelle d'eau.

À dix heures, une gamelle de croquettes pour bichon. Elle n'a rien touché.

À onze heures, j'ai appelé mon chum qui était encore au bureau : « *Babe*, j'ai besoin de toi. »

À deux, on est allés voir la chienne. Elle avait les mamelles enflées et la vulve tuméfiée comme une chienne qui vient d'accoucher. Elle frissonnait.

On s'est regardés. Qu'est-ce qu'on fait ?

Nous avions déjà Léo, un vieux bichon facho qui détestait tous les autres chiens. Et notre vieux chat Zéphyr si doux, mais si malade, ne méritait-il pas de vivre ses derniers jours en paix ?

On s'est dit qu'on prendrait la chienne pour la nuit, histoire de ne pas la laisser mourir de froid, et puis qu'on aviserait les refuges pour animaux.

Une nuit.

Maggie Golightly est encore avec nous, reine du lit.

REMERCIEMENTS

Pour toujours à Monique H. Messier, « ma » Monique, que je partage pourtant avec d'autres privilégiés et qui réussit chaque fois l'impossible mission de l'éditeur : me pousser dans mes derniers retranchements avec une seule arme, sa douceur.

Merci à toute l'équipe Librex de votre soutien, en particulier à Johanne Guay, Marike Paradis et Pascale Jeanpierre.

Merci à Robert Fortier et à Normand Canac-Marquis, ébénistes émérites, d'avoir partagé avec moi leurs connaissances sur le travail du bois. J'ai finalement opté pour l'acajou, certes conventionnel, mais durable.

Merci à Nadège Beausson Diagne, qui est arrivée de Paris avec des macarons de chez Ladurée juste à temps pour le travail méthodique des révisions.

Merci à Monique Lo, qui m'a enseigné l'art difficile de la phrase punch en mandarin.

Merci à Maria Montoreano de m'avoir guidée à travers Charleston et de m'avoir attendue à la fin d'une longue route, *gracias hermanita*.

Et merci à tous ceux qui ne passent pas leur chemin devant un animal qui a froid ou faim.

DATE DUE

2 2 JUIN 2015	

BRODART, CO.   Cat. No. 23-221-003

Suivez les Éditions Libre Expression sur le Web :
www.edlibreexpression.com

Cet ouvrage a été composé en Adobe Caslon 12,25/15
et achevé d'imprimer en septembre 2014 sur les presses
de Marquis imprimeur, Québec, Canada.

certifié   procédé   100 % post-   archives   énergie
sans chlore   consommation   permanentes   biogaz

Imprimé sur du papier 100 % postconsommation,
traité sans chlore, accrédité Éco-Logo et fait à partir de biogaz.